Openbare Bibliotheek

**Cinétol**
Tolstraat160
1074 VM Amsterdam
Tel.: 020 – 662.31.84
Fax: 020 – 672.06.86

afgeschreven

# Krinkel

Annemarie van den Brink
met tekeningen van Heleen Brulot

Zwijsen

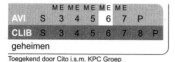

Toegekend door Cito i.s.m. KPC Groep

Het gemiddelde niveau van dit boek is E6.
Het bevat ook fragmenten op AVI M7, E7 en Plus.

1e druk 2012
ISBN 978.90.487.1022.5
NUR 282

© Uitgeverij Zwijsen B.V., Tilburg, 2012
Tekst: Annemarie van den Brink
Illustraties: Heleen Brulot

Vormgeving: Rob Galema

Voor België:
Uitgeverij Zwijsen.be, Antwerpen
D/2012/1919/62

# Inhoud

Voor Dieloff

# 1. Eindelijk ...

'Hier Kaka, vangen! Boven het schip!' Krinkel
rende heen en weer over het scheepsdek en gooide
de laatste stukjes van haar banaan de lucht in. Haar
papegaai Kaka nam een duikvlucht. Hij haalde het
bananenstukje met zijn snavel uit haar handen en
landde op Krinkels zwarte krullenbos.
Krinkel pakte de punten van haar witte kreukeljurk
vast. Met Kaka op haar schouder rende ze naar de
achterkant van het schip waar haar vader achter het
stuurwiel stond.
Krinkel ging voor haar vader staan. Ze zette haar
handen naast die van hem op het houten stuurwiel.
'Zijn we nou eindelijk in Burgerdam?' Ze waren al
weken onderweg van het oerwoud in Argilië naar
het plaatsje Burgerdam. Vandaag, na zolang varen
over de oceaan en de zee, zouden ze hun nieuwe
huis eindelijk zien.
Krinkels vader plukte aan zijn rossige baard.
'Jazeker, ik zie het goed: daar zijn de huizen van
Burgerdam!'
Kaka fladderde omhoog en duikelde wild door de
lucht. 'Burgerrrdam!' kraste de papegaai.
Krinkel klom over de reling en liep naar voren. Ze
ging op de rug van een houten zeemeermin zitten
die aan de voorkant van het schip hing. Uit haar
zak graaide ze een gekreukeld fotootje van een geel

met blauw huis met in het midden een gouden
engel. Het fotootje was met een brief naar hun
hutje in het oerwoud gestuurd. Er was een oudoom
met een bijzondere naam doodgegaan: Dilovardus
von Toetbergen. Hij had een gigantisch huis en nu
mochten ze er met z'n vieren wonen: zij, haar vader
en moeder en tante Tamara.

Krinkel aaide de zeemeermin over haar houten
haren. 'Hier zijn vast wél kinderen met wie ik kan
duiken.'

De huizen van Burgerdam kwamen steeds dichterbij en het schip voer de Burgergracht op. Krinkel
zag voor het eerst in haar leven echte huizen met
ramen van glas, muren en voordeuren. En voor die
deuren een straat met een stoep met bankjes en
vuilnisbakken.

Krinkel keek opzij en ze zag hoe een man zijn hand
in een vuilnisbak stak. Hij haalde er iets uit en
stopte het in zijn mond. Over de kade rende een
jongen met spierwitte stekels mee met het schip.
Hij zwaaide naar Krinkel en ze zwaaide terug.

Kaka steeg geschrokken op van haar schouder toen
Krinkels vader hard over de gracht toeterde. Hij gaf
een draai aan het stuurwiel en het schip maakte een
wijde boog.

Krinkel herkende het geel met blauwe huis van de
foto meteen. Midden aan het huis hing een gouden
engel. Daarboven stond met krullende letters de
naam Den Engel. Krinkel klom het dek weer op en
rende naar haar moeder en tante Tamara. Krinkel
pakte de lange zwarte vlecht van haar moeder en

wees ermee naar het huis. 'Moet je zien wat groot! Waarom hangen alle mensen uit het raam? Hebben ze hier nog nooit een schip gezien? Ik wist trouwens niet dat de mensen hier uit vuilnisbakken eten. En waar zijn de kinderen?'

'Wat ben je toch een nieuwsgierige kokosnoot!' zei haar moeder glimlachend.

'Een prachtig huis, maar er is iets mee,' zei tante Tamara geheimzinnig. De gouden tanden van de oude, magere vrouw blonken.

Krinkels vader kwam het dek op lopen en kuste zijn vrouw. Ze keek hem met haar donkere ogen verliefd aan.

'Von Toetbergens bereiken wat ze willen,' bromde hij en met een stevige knoop legde hij het schip vast.

Achter elkaar sprongen Krinkel, haar moeder en tante Tamara de kade op. Voor Den Engel stonden mensen die naar het vreemde meisje, de zeeman, de vrouw met de lange vlecht en de vrouw met de goudgele cape keken. Kinderen waren op een hek geklommen en wezen lachend naar het grote schip.

'Aardig dat er zo veel mensen op ons staan te wachten,' zei Krinkel vrolijk. Ze klom een trap op naar de straat.

Boven aan de trap stond een man met grijs haar, een rond brilletje en een streepjesjas. Hij ging recht voor Krinkel staan.

'Hallo meneer, mag ik erlangs? Ik ben Krinkel von Toetbergen. Ik kom hier wonen, want dit is ons huis.'

Het gezicht van de man kleurde vuurrood. 'Mijn
naam is Puntstra. Dat huis …' hij wees naar het
huis met de engel, '… wordt een bejaardentehuis.
En ík word de eerste bewoner.'
Krinkels vader kwam met grote stappen de trap op.
Meneer Puntstra hoestte. 'Zijn jullie familie van
die ouwe Von Toetbergen die vroeger in Den Engel
woonde en is doodgegaan?'
Krinkels vader knikte. 'Ik ben zijn achterneef. Wij
mogen het huis gaan bewonen.'
Meneer Puntstra deed twee stappen achteruit. 'Dat
moet ik controleren.'
Krinkel en haar vader liepen langs hem heen naar
Den Engel. Haar moeder volgde met een rieten
mand op haar hoofd. Tante Tamara kwam erach-
teraan en hield haar glazen bol goed vast.
Krinkel zwaaide naar de kinderen die op het hek
voor het huis zaten. Ook de jongen met de witte
stekels zat ertussen. 'Kun je goed duiken en vissen
in de Burgergracht?' riep Krinkel.
De kinderen staarden haar aan. Alleen de witte
stekeljongen lachte: 'Voor duiken en vissen is het te
smerig, maar roeien gaat uitstekend.'
Kaka steeg op vanaf de engel. Boven de hoofden
van de kinderen suisde hij omlaag, zodat ze in elkaar doken. Toen vloog hij naar binnen.
Tante Tamara aarzelde bij de drempel.
'Niet overal spoken zien, tantetje,' zei Krinkel en ze
duwde tante Tamara zachtjes de drempel over. De
voordeur viel met een kreunende klap dicht.

## 2. Handtekeningen

Den Engel had drie verdiepingen. De zolder was voor tante Tamara, de middelste verdieping voor Krinkel en beneden waren de kamers van haar vader en moeder. Ook was er een kelder die Krinkel nog niet gezien had, omdat de sleutel van de kelderdeur verdwenen was.

Krinkel sprong uit haar hangmat en liep naar het raam.

Ze gooide het wijd open en boog voorover. Met haar vingertopjes kon ze precies bij het gouden haar van de engel. Ze klom in de vensterbank en zette haar blote voeten op het gouden engelenhoofd.

'Kaka, geef me alsjeblieft de verrekijker!'

Kaka duikelde omlaag en klemde het touwtje van de verrekijker tussen zijn snavel.

Het was ontzettend druk op straat. Krinkel herkende tussen alle mensen meteen meneer Puntstra. Onder zijn arm had hij een stapel briefjes die hij aan iedereen uitdeelde.

'Kaka, probeer zo'n briefje te pakken te krijgen!' riep Krinkel.

'Zekerrr weten!' kraste de papegaai en hij vloog pijlsnel het raam uit.

De mensen schrokken toen Kaka vlak over hen heen scheerde.

'Daar heb je die belachelijke vogel!' riep iemand.

'Kijk naar die engel, daar zit dat vreemde kind!'
schreeuwde iemand anders.
Kaka vloog rondjes boven het hoofd van meneer
Puntstra.
'Wegwezen, rotbeest!' Meneer Puntstra sloeg wild
om zich heen.
Kaka vloog recht omhoog en bleef even in de lucht
hangen. Toen nam hij een duikvlucht en griste met
zijn snavel een briefje uit de hand van meneer Punt-
stra.
Meneer Puntstra sloeg met zijn vuist in de lucht.
'Teruggeven, rotpapegaai!'
Kaka vloog met het briefje terug naar Krinkel.
'Fantastisch gedaan, Kaka.' Krinkel pakte het briefje
uit Kaka's snavel en las de woorden letter voor letter
voor.
'*W-ij w-i-l-l-e-n d-a-t* ... Help me alsjeblieft, Kaka!'
Kaka begon voor te lezen: 'Wij willen dat onze
Burgergracht netjes blijft en dat er géén raar schip
komt en géén vreemde mensen in Den Engel gaan
wonen. Het bejaardentehuis moet er komen! Zet
uw handtekening als u het hiermee eens bent. Kom
voor vragen naar Theodoor Puntstra.'

Krinkel klauterde uit de vensterbank en kleedde
zich snel aan. 'Kom mee, Kaka, ik wil weten waar
iedereen hier zich zo ontzettend druk over maakt!'
Met Kaka op haar schouder en een banaan als ont-
bijt liep ze de Burgergracht op.
Een vrouw met een lange blonde paardenstaart
kwam haar tegemoet. Ze duwde Krinkel een zwart

ding onder haar neus. Achter haar sjouwde een man met een nog groter zwart ding.

De vrouw begon in het kleine zwarte ding te praten. 'Hallo, ik ben van BTV, de televisie van Burgerdam. Hij is de cameraman.' Ze wees naar de man met het grote zwarte ding. 'Jij woont in het geel met blauwe huis, klopt dat? Hoe heet je eigenlijk?'

'Ik ben Krinkel en wij wonen hier sinds gisteren. Weet u waarom iedereen zijn naam zet op die briefjes waarop staat dat wij vreemd zijn?'

'De mensen uit Burgerdam lijken het niet prettig te vinden dat je hier komt wonen. Zijn jij en je familie echt zo vreemd?' vroeg de blonde mevrouw.

Kaka landde op de blonde paardenstaart en vloog toen naar de mensen die om Krinkel en de vrouw heen stonden. De papegaai ging kriskras tussen alle mensen door, griste met zijn snavel overal briefjes weg en deed een poepje op het hoofd van meneer Puntstra. Die liet geschrokken alle briefjes uit zijn handen vallen. Ze waaiden de lucht in en dwarrelden het water van de Burgergracht in.

Krinkel rende met Kaka op haar schouder de Burgerbrug op en wees naar de witte papiertjes die onder de brug door stroomden.

'Hoi Krinkel,' klonk een jongensstem. Krinkel keek in het gezicht van de witte stekeljongen.

'Jij bent toch Krinkel en je bent toch net gefilmd voor de televisie?' vroeg de jongen.

'Die blonde paardenstaart had het ook al over telewat.'

'Ik ben Stan,' zei de jongen. 'En die blonde paardenstaart is mijn moeder die voor BurgerdamTV een filmpje over jullie maakt.'

'Super dat we hier meteen beroemd worden,' grinnikte Krinkel.

Stan schudde zijn hoofd. 'De Burgerdammers willen dat er een bejaardentehuis in jullie huis komt en meneer Puntstra doet daar heel erg zijn best voor,' zei Stan.

'Is het leuk in een bejaardentehuis en zijn er bananen?' wilde Krinkel weten.

Stan lachte. 'Jij komt echt van een andere planeet! Een bejaardentehuis is een huis waar oude mensen in wonen. Iedereen heeft een kamer en krijgt eten en drinken en soms komt er iemand op bezoek.'

Krinkels ogen werden groot van verbazing.

'Waarom blijven ze niet bij hun kinderen of buren wonen, dat is toch veel gezelliger? Tante Tamara woonde in het oerwoud ook naast ons hutje.'

'Hier in Burgerdam is iedereen druk met werken,' zei Stan. 'En wie niet werkt, maakt zich wel ergens anders druk over.'

Ineens stond Stans moeder achter hen.

Stan trok Krinkel aan haar arm. 'Mam, dit is Krinkel. Jullie hebben elkaar al ontmoet.'

'Aha, Krinkel, het meisje van de nieuwsgierige vragen,' glimlachte Stans moeder. Ze legde een arm om haar zoon. 'Kom mee, lieveling, ik heb precies een kwartiertje tijd voor je.'

Krinkel staarde Stan en zijn moeder verbaasd na.

## 3. Een brief

Krinkel zat met haar vader, moeder en tante aan de keukentafel. Haar moeder sneed bananen in plakjes, haar vader pelde pinda's en tante Tamara legde alles op een schaal.

'Mmm, verrukkelijk,' zuchtte Krinkel toen ze een lik bananenroom nam.

Kaka vloog op Krinkels schoot: 'Mmm, verrrrukkelijk.' Hij wipte onrustig op en neer en tikte met zijn snavel tegen een ring van een laatje in de tafel. Kaka klemde de ring tussen zijn snavel en trok samen met Krinkel het laatje open.

'Een saaie brief,' zei Krinkel teleurgesteld en ze legde de brief waarop *DvT* was gestempeld op tafel. Krinkels vader griste de brief uit haar handen. 'Dit is van Dilovardus von Toetbergen, mijn oudoom!' Onmiddellijk las hij de brief:

*'Welkom in Den Engel! Hopelijk missen jullie het leven in het oerwoud niet. Ik ben dolgelukkig dat jullie dit huis gaan bewonen, zo blijft het in onze familie! Misschien hebben jullie al gemerkt dat de Burgerdammers helemaal niet blij zijn met jullie. Ze willen geen mensen die andere dingen willen dan zij. Mij is het niet gelukt dit te veranderen, ik hoop dat het jullie wel gaat lukken!'*

Krinkels vader keek hen aan. 'Hebben jullie ge-
merkt dat de mensen hier niet blij zijn met ons?'
Krinkel dacht aan de briefjes van meneer Punt-
stra: *Géén raar schip, géén vreemde mensen.* 'Meneer
Puntstra heeft ...'
'Die schreeuwlelijk van gisteren?' zei Krinkels vader.
'Als dat alles is, dan is er niks aan de hand.' En hij
las verder voor:

*'Jullie kunnen niet zomaar in het huis blijven. Er is
een plan gemaakt voor Den Engel. Jullie mogen alleen
in het huis wonen als jullie ervoor zorgen dat er iets
nuttigs komt ...'*

Het gezicht van Krinkels vader werd vuurrood en
hij sloeg zijn vuist op de keukentafel. 'Belooft hij
een huis, komen we helemaal vanuit Argilië hier
naartoe en dan mogen we alleen blijven als we er
iets núttigs van maken!'
'Wat is dat, iets nuttigs?' vroeg Krinkel.
'Als iets nuttig is, dan heb je er wat aan,' legde Krinkels moeder uit. 'De mensen kunnen er iets leren
en doen.'
'Een bananenbomenbos bijvoorbeeld,' zei Krinkel.
'Zoiets, maar dan iets wat past bij de Burgerdammers,' glimlachte Krinkels moeder.
Met een boze stem las Krinkels vader weer verder:

*'Sorry dat ik dit nu pas vertel, maar anders waren jul-
lie misschien in het oerwoud gebleven en dan was het
bejaardentehuis er zeker gekomen. Dan zou het oude,*

......

*vrolijke Burgerdam van toen ik jong was voor altijd*
*voorbij zijn. Jullie zijn mijn laatste kans ...'*

Krinkels vader maakte een prop van de brief en
smeet hem van zich af. 'We moeten niks! Ik ga liever vandaag nog terug naar Argilië.'
Krinkel pakte de prop weer op en gooide hem naar
haar vader. 'Ik wil niet terug, want ik wil vrienden om mee te zwemmen en te roeien. Je hebt het
beloofd! En in de rest van Argilië is het te gevaarlijk
om te wonen, dat heb je zelf gezegd!'
'Weet ik,' zei Krinkels vader en hij ging door:

*Ik heb met burgemeester Windewaai van Burgerdam*
*dit afgesproken: maak een bijzonder museum, dat kan*
*Burgerdam goed gebruiken ...'*

'Een mu-se-jum, kun je daar duiken en roeien?'
vroeg Krinkel.
Krinkels vader las met barse stem verder:

*'Mensen in dit land houden ervan om naar een*
*museum te gaan, waar ze bijzondere spullen kunnen*
*bekijken. De opdracht is dus: maak een bijzonder*
*museum. Ook al ben ik dood, ik zal helpen ...*
*Maak Burgerdam weer vrolijk en gelukkig en gebruik*
*mijn geld voor het museum. Waar het geld gebleven*
*is, kan ik niet zeggen, dat zou gevaarlijk zijn. Maar*
*onthoud: zoek de sleutel tot het geluk.*
*Dilovardus von Toetbergen*

*PS Het museum hoeft niet in Den Engel te komen,*
*maar het moet van burgemeester Windewaai wel*
*binnen een half jaar na mijn dood af zijn. Inspec-*
*teur Keurmans zal beslissen of het museum bijzonder*
*genoeg is.'*

Krinkel begreep het maar half. Waarom kon Dilovardus niet meteen zeggen waar dat geld was? Wat
was een inspecteur? Welke sleutel bedoelde hij?
'Wanneer is die oom een half jaar dood?' vroeg ze.
'Over twee weken en een paar dagen,' bromde
Krinkels vader. 'Dilovardus dacht zeker dat we zijn
eerste brief met de foto snel zouden hebben. Maar
die ouweheer heeft er niet aan gedacht dat post ver-
sturen naar het oerwoud maandenlang kan duren!'
'En wie is in-spec-teur Keurmans?' vroeg Krinkel.
'Inspecteur Keurmans is een man die de spullen
straks bekijkt en beslist of ze bijzonder genoeg zijn,'
legde Krinkels moeder uit. Ze sprong overeind en
riep: 'We maken het museum in ons schip! Ik ga
schilderijen maken.' Toen wees ze naar tante Tamara. 'U gaat verf brouwen.' Daarna wees ze naar
Krinkels vader. 'Jij gaat planken maken.' Tegen
Krinkel zei ze: 'Kijk of je ergens broodjes kunt
krijgen.'
'Krijgen? Hier moet je alles kopen,' mopperde Krinkels vader en hij gaf Krinkel een handjevol munten.

## 4. MORS

Krinkel had een paar rondjes door Burgerdam
gelopen. 'Waar zou je nou broodjes kunnen kopen,
Kaka?' Ze keek opzij en zag een man aan komen
lopen. 'Dat is die man die uit de prullenbak eet.'
Ze liep op hem af. Hij was groot, had lange haren
en droeg een rafelige jas.
'Meneer, weet u waar ik broodjes kan kopen?' vroeg
ze.
'Natuurlijk,' antwoordde de man en hij wees naar
een huis op de hoek van de Burgergracht waar op
het raam met grote letters *Bakker* stond. De man
likte langs zijn lippen.
'Welke zijn het lekkerst?' vroeg Krinkel.
'Ik koop nooit broodjes, geen geld,' zei de man.
'Aha, daarom eet u uit een vuilnisbak,' zei Krinkel.
'Bedankt voor de informatie!' Ze graaide in de zak
van haar kreukeljurk en gaf de man een banaan.
'Bijzonder aardig, dankjewel.' Er verschenen vrolij-
ke rimpels in zijn gezicht. 'Berend is de naam.' De
man gaf haar een hand.
Krinkel keek naar de grote, harige hand. De randjes
van zijn nagels waren smerig, net als die van haar.
Om zijn vinger zat een ring met een hartje van
goud. 'Dag Berend!' zei Krinkel.
'Berrrend! Brrroodjes!' kraste Kaka.
Krinkel zwaaide de deur van de bakkerswinkel

open. Ze botste bijna tegen Stan aan. De bakker
overhandigde hem een grote zak broodjes.
'Ga je die allemaal opeten?' vroeg Krinkel.
'Nee, die zijn voor mijn moeders werk,' antwoordde
Stan.
De bakker sloeg met zijn hand op de toonbank en
keek Krinkel nors aan. 'Wat moet jij hebben?'
Krinkel bekeek de broodjes: witte, bruine, ronde,
vierkante, met streepjes, pitjes en spikkels.
'Schiet eens op, heb je nog nooit brood gezien of
zo?' mopperde de bakker.
Krinkel schudde haar hoofd. 'Wij aten altijd verse
vis, bananen of kokosnoten.'
Krinkel wees tien verschillende bolletjes aan. Ze
pakte wat munten uit haar kreukeljurk en legde ze
op de toonbank.
'Je geeft te veel geld,' fluisterde Stan.
'Dat kan de bakker vast wel gebruiken,' zei Krinkel.
Toen ze zich omdraaide, kwam meneer Puntstra
binnen.
'Ga maar gauw naar huis, meisje,' zei meneer Puntstra met een gemene glimlach.
Zo snel als ze kon, rende Krinkel de winkel uit en
Stan rende met haar mee. Bij het geel met blauwe
huis bogen ze zich over het hek van de kade. Beneden bij het schip zag Krinkel tante Tamara, haar
vader en moeder, een agent en Stans moeder met
haar hulpjes. Een verzameling schelpen glom in de
zon.
'Oei,' fluisterde Stan. 'Dat is agent Stoppelaar, een
superstrenge.'

Krinkel en Stan stormden de trap af naar de kade.
Krinkels vader schopte tegen een leeg blik. 'We
hebben een bekeuring gekregen. Tante Tamara had
een vuurtje gestookt om verf te brouwen. Mag niet
in dit land.'
'Dat mag zéker niet in dit land, onthoud dat,
meisje,' waarschuwde agent Stoppelaar.
'Ik zal het proberen, Stoppelaar,' zei Krinkel. 'Wilt
u misschien een bolletje of heeft u liever een banaan?'
'Menééér Stoppelaar,' zei de agent. 'Nee, we leven
hier niet in het oerwoud. En dat schip, daar horen
jullie meer over!' Met driftige passen liep hij de
kade af.
Stan gaf de zak met broodjes aan zijn moeder. Ze
deelde ze uit aan de tv-mannen, die ervan smulden.
'Mag ik even voorstellen,' zei Krinkel tegen Stans
moeder. 'Mijn vader, mijn moeder en tante
Tamara.'
'Ik wil jullie graag wat vragen stellen,' zei Stans
moeder. 'Kom op, jongens, draaien met die camera's.'

Toen de BTV-ploeg vertrokken was, ging Krinkels
familie weer aan de slag. Tante Tamara roerde in
haar verfpotten. Krinkels moeder zat op de rand
van de kade te schilderen, want de zeemeerminnen,
vissen en schelpen op het schip konden wel wat verf
gebruiken. Krinkels vader sleepte een enorme kist
uit het schip en begon van oude planken rekken te
timmeren.

......

Krinkel en Stan openden het deksel van de kist. Die zat vol schelpen, gedroogde zeeplanten, flesjes woestijnzand en tanden van wilde dieren. Krinkel pakte twee haaientanden en hield die bij haar mond. Stan pakte een bosje zeewier en drukte het tegen zich aan. 'Ik ben Koning Oerwoud, met echt borsthaar!' 'Binnen staat de kist met het grote werk,' zei Krinkel. 'Daar zitten pas echte oude en rare spullen in.' 'Oude spullen, rrrare spullen!' Kaka vloog een rondje boven het schip.

'Jij begrijpt het, Kaka,' zei Krinkels moeder. 'De mensen uit Burgerdam zullen er graag voor willen betalen om die bijzondere dingen te komen zien.' Ze gooide een doek naar Krinkel en Stan. 'Poetsen jullie.'

Krinkel en Stan poetsten de tanden, flesjes en schelpen blinkend op.

'We hebben nog geen naam voor het museum. Wie heeft er een idee?' vroeg Krinkels moeder.

'Het Museum voor Oude en Rare Spullen?' zei Stan.

'Veel te lang,' vond Krinkels moeder. 'Het moet kort zijn, dan kun je het makkelijk onthouden. Krinkel, kom hier en houd dit verfblik even voor me vast.'

Krinkel nam een grote stap en pakte het blik aan. Het gleed uit haar handen en viel om.

'Krinkel, je morst!' mopperde Krinkels moeder.

'Morrrrs! Morrrs!' kraste Kaka.

Krinkels vader floot tussen zijn tanden. 'Goed bedacht, Kaka! We noemen het museum MORS.

Dat zijn de eerste letters van Museum voor Oude
en Rare Spullen!'
'MORS, geweldig!' riep Krinkels moeder. 'Tante
Tamara, is de verf klaar?'
Tante Tamara goot haar verf in een leeg verfblik.
Met druipende verf schilderde Krinkels moeder de
letters op het schip: MORS.

## 5. Oude en rare spullen

Krinkel en Stan stonden onder in het schip en hadden net hun derde banaan op.

'Wat een fantastisch schip!' Stan keek om zich heen.

Krinkel pakte het touw vast dat aan de zolder van het scheepsruim bungelde en klom erin. 'Hier komt MORS!' riep ze. 'Nog even en dan staan hier rijen mensen voor de deur.'

Stan ging op een grote kist zitten.

'Mag dat zomaar, een museum met ouwe troep op de Burgergracht?' vroeg Stan.

'Het ís geen troep, en waarom zou het niet mogen?' vroeg Krinkel.

'Dat zegt mijn vader, die is rechter. Weet je wat dat is?' vroeg Stan.

'Geen flauw idee,' zei Krinkel terwijl ze door het scheepsruim slingerde.

'Een rechter weet precies wat wel mag en wat niet mag,' legde Stan uit. 'Als hij het zegt, moeten mensen de gevangenis in of superveel geld betalen. De burgemeester heeft gezegd dat er een bejaarden-tehuis in Den Engel komt. Meneer Puntstra is de eerste bewoner van Burgerdam die zich heeft inge-schreven.'

Krinkel roetsjte langs het touw omlaag en ging voor Stan staan. 'Dat is dan pech voor die Puntstra, want over twee weken en een paar dagen is dit schip het

meest bijzondere museum van de hele wereld. Dan
hebben wij gedaan wat oom Dilovardus wil en
wordt het hier een vrolijke boel. Maar we moeten
wel eerst een sleutel zoeken.'
Nu was het Stan die niet wist waar het over ging.
'Wie is die oom Dilovardus?'
Krinkel vertelde Stan het hele verhaal van de brief
van oudoom Dilovardus en het plan voor een museum.
'Echt weer iets voor burgemeester Windewaai,' zei
Stan. 'Ze belooft een bejaardentehuis aan meneer
Puntstra en vraagt een museum aan je oudoom. Als
je maar zegt dat ze er mooi uitziet, dan doet ze wat
je wilt.'
Krinkel ging op haar knieën voor Stan zitten en zei:
'O burgemeester, uw haren glanzen als de bladeren
van een palmboom en uw tanden zijn zo wit als
kokos. U vindt toch ook dat Burgerdam iets vrolijks
nodig heeft en dat er geen bejaardentehuis moet
komen?'
'Je oudoom heeft honderd procent gelijk: Burgerdam is verschrikkelijk saai,' zei Stan. 'Iedereen let
op elkaar en ondertussen gebeurt hier nooit iets.
Geen circus, geen kermis, helemaal niks.'
'Wacht maar tot MORS er is,' zei Krinkel. 'Daar
kun je dingen zien en doen die je nog nooit hebt
meegemaakt!'
'Maar twee weken is wel ontzettend kort!' zei Stan.
'We moeten erachter komen wat Dilovardus met
die sleutel bedoelt en ervoor zorgen dat we bijzondere spullen voor het museum verzamelen.'

Krinkel duwde Stan van de kist en tilde het deksel
op. 'Let op.' Eén voor één haalde ze de spullen uit
de kist en ze legde ze op een vloerkleed. Stan liep
rondjes om de bijzondere verzameling. Er waren
maskers en potjes met vreemde kruiden, een opgezette hagedis, een fles wijn van driehonderd jaar
oud, een krom vechtzwaard, gouden beeldjes, tij-
gerbotten en heel veel munten. Een kunstgebit, een
tonnetje rum en grote zeeschelpen in roze, paars en
lichtblauw.
Stan pakte een masker en hield het voor zijn gezicht. 'Hoe komen jullie hier allemaal aan?'
'Mijn vader is de allerbeste zeeman, handelaar en
strandjutter ter wereld,' zei Krinkel. 'Maar deze heb
ik zelf gevonden.' Trots hield ze een knalroze brood-
trommel omhoog.
'Wat is daar nou bijzonder aan?' vroeg Stan.
'Dit is echt een ontzettend raar ding, hoor Stan,'
grinnikte Krinkel, en ze tikte op de trommel. 'Mijn
vader vertelde dat kinderen hierin elke dag boter-
hammen meenemen naar school. Ik ben nog nooit
naar school geweest en ik eet het liefst bananen.'
Kaka kwam het scheepsruim binnenvliegen.
'Mooiiie spullen!' kraste hij en hij landde op Krinkels krullen.
Op hetzelfde moment kwam Krinkels vader het
scheepsruim in en hij keek grijnzend rond.
Krinkel deed hem een botjesketting om.
'Gekregen van een medicijnman in het oerwoud,
helpt tegen buikpijn,' zei hij.
Krinkel pakte een houten koker van de grond en

haalde er twee vellen papier uit. 'Pap, vertel Stan eens hoe je hieraan gekomen bent.'

Haar vader rolde één vel papier uit. 'Deze heb ik gekocht op een klein marktplein van een prachtige vrouw …'

'… met een lange zwarte vlecht,' zuchtte Krinkel.

'De vrouw verdiende geld met tekenen op de markt,' vertelde Krinkels vader. 'Toen vroeg ze aan mij …'

Krinkel sprong overeind en zette haar handen in haar zij. 'Toen vroeg ze: zal ik een tekening van u maken?'

De tekening van haar vader was grappig. De baard en wangen waren groter dan in het echt. Zijn mond lachte van oor tot oor. Op zijn arm was een hartje getekend.

'En vanaf die dag waren de zeeman en de donkere tekenares samen,' zeiden Krinkel en haar vader tegelijk. 'Ze voeren samen over zee en toen er een baby kwam, legden ze het schip vast en gingen ze in het oerwoud wonen.'

Kaka hield zich stil, maar zijn oogjes glommen. Krinkel rolde de tweede tekening uit. Er stonden twee palmbomen op. Ertussen hing een hangmatje met een baby erin met zwarte krulletjes die aan een banaantje zoog. Boven de hangmat vloog de kleine Kaka.

'En ze leefden nog langgg en gelukkkig!' kakelde Kaka en hij maakte een dubbele salto.

# 6. Tante Tamara

Krinkel en Stan zaten op zolder bij tante Tamara, in een hoek vol tapijten en fluwelen kussens. Erboven hingen doeken die naar zee en kruiden roken.
Tante Tamara was een oude, wijze vrouw. Toen Krinkel twee jaar was en was weggelopen, had tante Tamara in haar glazen bol de hoge palmboom gezien waarin Krinkel zich had verstopt. Toen twee dieven het bootje van Krinkels vader hadden gestolen, wist tante Tamara wie de daders waren en waar het bootje was.
Tante Tamara goot donkerrood poeder in een flesje met lichtbruin poeder en schudde het flesje.
'De middeltjes van tante Tamara werken altijd,' zei Krinkel. 'Overal maakt ze pilletjes van, van kruisspinnen, hondenmelk en cactusplanten.'
Tante Tamara zette het flesje tussen honderden andere flesjes met mengsels in alle kleuren. Toen pakte ze haar glazen bol. 'Kan ze daar echt wat in zien?' fluisterde Stan.
'Natuurlijk, ze staart niet voor haar lol in die bol,' fluisterde Krinkel terug. 'Ze kijkt er alleen in als het hoognodig is of als er iets belangrijks gaat gebeuren.'
'Klopt het altijd wat ze ziet?' vroeg Stan.
'Ze ziet dingen anders dan jij, maar wat ze ziet, klopt altijd,' zei Krinkel.

'Je praat net zo geheimzinnig als zij,' zuchtte Stan.
'Jazeker, ik dacht het al,' mompelde tante Tamara.
'Tante, wat is er?' Krinkel sprong overeind en ging
achter tante Tamara staan. 'Wat heeft u gezien?'
'Een gouden sleutel,' sprak tante Tamara langzaam.
Stan stootte Krinkel aan. 'De sleutel waar Dilovar-
dus het over had!' Hij sprong op. 'Kunt u ook zien
waar die sleutel is en waar hij in moet?'
'De bol wordt donker. De sleutel is verstopt, maar
niet voor lang,' zei tante Tamara vermoeid.

Stan leunde naast Krinkel op het hek van de Burgerbrug. 'Wanneer moet MORS klaar zijn?'
'Twee weken min vier dagen,' zei Krinkel. Haar
vader zei wel drie keer per dag hoeveel tijd ze nog
hadden. Er was snel geld nodig om het museum
verder in te richten met nog veel meer bijzondere
spullen. Ze moest er niet aan denken dat het museum niet op tijd klaar zou zijn, want ze wilde niet
terug naar Argilië. Ze wilde hier blijven, bij Stan.
'Stan, daar loopt Berend weer,' zei Krinkel en ze
wees naar de kade.
'Klopt, dat is Berend. Hij is dakloos,' zei Stan.
Krinkel keek Stan vragend aan. 'Dakloos?'
Stan grinnikte om het rare gezicht dat Krinkel trok.
'Berend heeft geen huis en geen werk. Hij heeft
weinig geld en zoekt soms eten in de vuilnisbak.'
Krinkel graaide in de zak van haar kreukeljurk en
haalde een banaan tevoorschijn. 'Hallo Berend,
vangen!' schreeuwde ze en ze wierp de banaan met
een boogje naar beneden.

......

Berend ving de banaan en grijnsde breed.

Krinkel liep met Stan mee naar Stans huis. Stan pakte een sleutel uit zijn zak en opende de glimmende, zwartgeverfde voordeur.

'Ssssttt, we gaan mijn moeder laten schrikken,' fluisterde Stan. Zachtjes opende hij een deur waarop BTV stond. Op hun tenen slopen ze het kantoor van Stans moeder binnen.

Stans moeder had niet door dat Stan en Krinkel binnen waren geslopen. Tussen haar wang en schouder hield ze een telefoon geklemd.

'Maar meneer Puntstra,' hoorden Stan en Krinkel haar zeggen. 'Hoe weet u zo zeker dat de familie Von Toetbergen niet in Den Engel mag wonen?' Krinkel wilde iets zeggen, maar Stan stootte haar aan en hield zijn hand voor haar mond.

'Dus u beweert dat ze hier illegaal wonen …' ging Stans moeder verder, '… dat de burgemeester zegt dat het bejaardentehuis gewoon doorgaat en dat …' Stans moeder maakte een draai met haar stoel en haar telefoon gleed langs haar wang op de grond. Staan jullie hier al lang?' Ze griste de papieren van haar bureau en pakte de telefoon van de grond. 'Ik bel u straks terug,' riep ze in de telefoon.

'Hallo, mevrouw,' zei Krinkel beleefd. 'Gaat u weer een programma over ons maken? Wat betekent ie-lu-gaal?'

Stan keek van zijn moeder naar Krinkel. 'Dat het streng verboden is,' antwoordde hij.

## 7. De veiling

'Hoe komen we erachter waar die sleutel is en wat meneer Puntstra van plan is?' vroeg Stan. Hij zat naast Krinkel op de grond van de hal in Den Engel tegen de kelderdeur.

Krinkel nam de laatste hap van haar banaan. 'Even ondersteboven hangen, misschien stromen de ideeën dan mijn hoofd in.' Ze maakte een handstand tegen de kelderdeur.

'Stan, kijk eens naast mijn knie,' riep ze onder haar kreukeljurk vandaan. 'Wat zie je?'

'Een kelderdeur, een sleutelgat, wat bedoel je?' antwoordde Stan.

Krinkel zette zich af tegen de kelderdeur en landde met een wijde boog op de halvloer. 'Helemaal goed, Stan, een sleutelgat in de kelderdeur. De sleutel is verdwenen en daarom weten we niet wat er in de kelder is. Misschien een enorme schatkist met goud en parels.'

'Krijgt je tante toch nog gelijk!' Stan sprong overeind. 'We gaan het meteen aan je vader vertellen.'

Krinkel en Stan klommen de trap af naar de kade. Het grachtwater klotste zachtjes tegen de fris geschilderde zeemeerminnen en vissen. De geverfde letters MORS fonkelden. Beneden in het schip zat Krinkels vader gebogen over een krant. Om hem heen stonden de rekken met oude en rare spullen.

In het grote scheepsruim leek de verzameling kleiner dan toen Krinkel de spullen op het kleed had uitgestald.

'Dit is precies wat we nodig hebben!' Krinkels vader sloeg zijn vuist met een klap op de krant.

Krinkel klom op haar vaders nek. 'Wat pap, een schatkist, een bananenboom, een sleutel?'

'Een veiling,' zei Krinkels vader en hij las voor:

*'Veiling in het Veilingpaleis*
*Het is weer zover: de maandelijkse Burgerdammer veiling met heel bijzondere spullen. Komt allen!*

*Elisabeth Windewaai, burgemeester van Burgerdam*

Op een veiling kun je prachtige, oude spullen kopen en die hebben we hard nodig voor MORS,' zei Krinkels vader. 'We gaan erheen, dan kunnen we meteen de burgemeester zien.'

'Wanneer is die veiling?' vroeg Stan.

Krinkels vader speurde het krantenbericht af. '21 mei om twee uur. Welke dag is het vandaag?'

Stan keek op zijn horloge. '21 mei, tien voor twee.'

'Rennen!' riepen Stan, Krinkel en haar vader.

'Vllliegen!' kraste Kaka en hij vloog vooruit de Burgergracht op.

In de veilinghal keek de veilingmeester elke tien tellen op de grote koekoeksklok. De wijzers wezen één minuut voor twee. Naast hem zat burgemeester Windewaai, die aan haar paarsgelakte nagels pulkte.

......

Ineens zwaaiden de zware deuren van het veiling-
gebouw open. Als in een schilderij stonden Krinkel,
Krinkels vader en Stan tussen de deuren.
De veilingmeester sloeg drie keer hard met zijn
hamer. 'Twee uur, de veiling is begonnen!'
Krinkels vader vond een plekje achterin. Voor
Krinkel en Stan waren er nog plaatsen midden in
de veilinghal.
'Welkom!' bulderde de veilingmeester. 'Naast mij
zit burgemeester Windewaai.'
Mevrouw Windewaai schudde haar lange rode haar
naar achter en glimlachte.
'Ziet u iets wat u wilt, steek dan uw hand op,' zei
de veilingmeester. 'Betalen als de veiling is afgelo-
pen. Maar eerst wil de burgemeester iets zeggen.'
Burgemeester Windewaai schudde haar haren weer
naar achter. 'Er komt een nieuw bejaardentehuis en
het plan voor de bouw is al klaar ...' sprak ze met
mierzoete stem.
'MORS komt er toch?' fluisterde Krinkel tegen
Stan.
'Ik zei het toch; ze is niet te vertrouwen,' fluisterde
Stan.
Mevrouw Windewaais verhaal was nog niet klaar.
'We komen nog geld tekort,' zei ze. 'Daarom is een
deel van het geld van deze veiling voor het bejaar-
dentehuis.'
Er klonk een daverend applaus. De camera's van
BTV gingen aan en Stans moeder pakte haar
schrijfblokje.

'We beginnen met een stel gordijnen. Wie?'
Een vrouw met een grijs knotje stak haar hand
omhoog.
'Niemand anders?' vroeg de veilingmeester. 'De
gordijnen zijn voor mevrouw Puntstra.'
Na de gordijnen kwamen een eettafel, een schemer-
lamp en een nachtkastje. De Burgerdammers staken
hun hand op en de veilingmeester schreef hun
namen op.
'Ongelooflijk saai,' fluisterde Krinkel tegen Stan.
Ineens zag Krinkel tussen de Burgerdammers
Berend zitten. Hij knipoogde naar haar en ze
zwaaide terug.
'Eenmaal, andermaal,' riep de veilingmeester. 'Deze
oude vorken zijn voor die dame daar. Uw naam?'
Stan stootte Krinkel aan en beet op zijn lip van het
lachen. 'Je hebt die oude vorken gekocht.'
'Ik ben Krinkel, maar ik eet nooit met een vork,' zei
Krinkel.
In de veilinghal schuifelden de Burgerdammers
onrustig op hun stoelen en meneer Puntstra keek
Krinkel boos aan.
'Krínkel!' riep Krinkels vader met een bulderstem.
'Stilte in de zaal!' De veilingmeester tikte met zijn
hamer en ging verder.

Na een half uur riep hij: 'Dan komen nu de rariteiten.'
'Dat zijn de bijzondere spullen. Die moeten we
hebben,' fluisterde Stan. 'Die zijn ontzettend veel
geld waard.'

'Wat ik nu ga noemen, kunt u alleen als één verzameling kopen. U kunt bieden vanaf 100.'

Bijna alle mensen gingen op het puntje van hun stoel zitten. Veel van hen waren mannen met zonnebrillen en zwarte leren jassen.

'De grootste schoen, de langste nagel, de dikste haar en het kleinste boek ter wereld,' somde de veilingmeester op. 'Een potje snot uit de middeleeuwen, een hoopje zand van Mars. En als allerlaatste ...'

Krinkel hielp Kaka uit haar rugzak. 'Doe je best, Kaka!'

'... het bad uit de koninklijke trein, de eerste tandjes van de koning en het eierdopje van Columbus.'

Krinkels vader stak als eerste zijn hand omhoog.

'100 voor die meneer daar met die rode baard, hoe heet u?'

'Von Toetbergen!' riep Krinkels vader.

'Familie van die ouwe zeker? Iemand meer dan 100?'

Een man met een zonnebril stak zijn hand op. Met een vreemde stem zei hij: '110, poepescheet!'

De veilingmeester werd rood. 'Ik zei: wie biedt?'

Kaka vloog door de veilinghal en landde achter de rug van een andere handelaar die zijn hand opstak. '120, kaalkop!'

De veilingmeester sloeg met zijn hamer en schreeuwde: 'Ik herhaal: wie biedt?'

'200, luie dikzak!' klonk het vanachter een andere leren jas.

'Genoeg!' brulde de veilingmeester. 'De rariteiten gaan voor 100 naar Von Toetbergen, de veiling is gesloten!'

# 8. Nog negen dagen

'Nu maar afwachten of er iemand komt,' zuchtte
Krinkels moeder. Op het dek van MORS schonk ze
glazen vol gele, rode en groene limonade. Op een
lange tafel stonden grote schalen met hapjes.
Krinkel en Stan waren alle deuren langsgegaan om
mensen uit te nodigen voor een bezoek aan MORS.
Krinkel liep om de tafel heen en proefde van de
visjes, de bananentaartjes en de knalroze koekjes.
Ze gooide een visje in de lucht en ving hem op
tussen haar tanden. 'Als er niemand komt, eten we
alles lekker zelf op!' riep ze naar Stan, die samen
met Krinkels vader op de Burgerbrug op de uitkijk
stond. Ze liep naar hen toe en stopte bij allebei een
visje in hun mond.
'Wanneer komt eigenlijk die inspect-dinges?' vroeg
Krinkel.
'Meneer Keurmans komt straks. De burgemeester
heeft hem uitgenodigd,' antwoordde Krinkels vader.
Stan keek om zich heen. 'Tijd voor de opening. Ze
komen eraan!'
Van alle kanten stroomden de Burgerdammers toe.
Meneer en mevrouw Puntstra liepen als eersten de
trap af, daarna volgden de bakker, agent Stoppelaar,
Berend en de burgemeester. Even later stond er een
lange rij voor de trap. Stans moeder liep heen en
weer met een microfoon en een opschrijfboekje.

Sommige mensen pakten een bananentaartje of een koekje. Krinkels moeder ging rond met de visjes, maar niemand hoefde. Bijna niemand, want Berend at ze allemaal op.

'Dames en heren!' riep Krinkels vader vanaf het dek. De Burgerdammers keken naar de grote man die als een kapitein op zijn schip stond.

'Welkom in MORS, het Museum voor Oude en Rare Spullen! Eindelijk heeft Burgerdam iets nuttigs: een bijzonder museum! Onze museumspullen geven u een kijkje in een wereld die vol is met prachtige dingen ...' Krinkels vader vertelde over zijn reizen over zee en over het oerwoud. Over zijn oudoom die ervoor had gezorgd dat zijn familie nu een huis had en dat er zo'n mooi museum was gekomen.

De Burgerdammers begonnen te fluisteren en stootten elkaar aan. Ze wezen naar de zeeman, zijn vrouw en tante Tamara. Meneer Puntstra beet op zijn lip en keek ongeduldig op zijn horloge.

'Wij willen geen museum!' schreeuwde een man dwars door de toespraak heen. 'Hier komt een bejaardentehuis en geen vreemd museum. Weg met MORS!'

'Weg met MORS!' riep de moeder van burgemeester Windewaai. Ze had precies zulke wapperende haren als haar dochter, alleen waren die van haar spierwit.

'MORS moet weg!' riep nu iedereen tegelijk.

'Mensen, moet je daar kijken!' riep de vader van Stan en hij wees omhoog. Krinkel verscheen in haar slaapkamerraam. Ze knoopte het uiteinde van een dik touw om het hoofd van de engel en gooide het andere uiteinde naar Stan. Hij ving het touw op en gaf Krinkel een teken. Kaka vloog een achtje boven de open monden van de Burgerdammers. 'Hierrrbij is MORRRS geopend!' kakelde hij. Op hetzelfde moment roetsjte Krinkel langs het touw omlaag en landde ze naast haar vader en Stan.

'Wat staan jullie daar nou te apegapen!' riep ze naar de mensen. 'Doe je mond dicht en je ogen open en kom kijken!' Krinkel duwde de deur van MORS open en verdween in het schip.

'Als jij gaat, ga ik ook,' zei de slager tegen zijn zoon.

'Kijken kan geen kwaad,' mompelde de fietsenmaker.

De burgemeester riep: 'Ik ben zó nieuwsgierig!'

Toen twijfelde niemand meer en schuifelden de mensen achter de burgemeester aan de loopplank op.


Alleen meneer Puntstra liep buiten nog ongeduldig heen en weer, maar hij zuchtte opgelucht toen er voetstappen op straat klonken.

Een man in een donkergrijs pak rende met drie treden tegelijk de trap af. 'Sorry dat ik laat ben, Muntstra.'

'Het is Pppuntstra, inspecteur Keurmans,' zei meneer Puntstra.

Meneer Keurmans ritselde met zijn papieren en zei: 'Bejaardentehuis, ja … museum nee … tja … helemaal verboden is het niet, een museum.'

Meneer Puntstra pakte inspecteur Keurmans bij zijn arm. 'Pardon?'

'De burgemeester heeft opgeschreven dat de familie Von Toetbergen hier mag wonen, maar alleen als ze zorgt voor iets nuttigs: een museum.'

'Ze heeft mij een bejaardentehuis beloofd!' riep meneer Puntstra woedend. 'Moet dat museum in míjn bejaardentehuis komen?'

Meneer Keurmans keek nog eens goed in de papieren. 'Dat hoeft niet,' antwoordde hij. 'Er staat alleen dat als de Von Toetbergens voor een museum zorgen, ze in Den Engel mogen wonen.'

'Ik was eerst!' zei meneer Puntstra kwaad. 'Waarom gaan zij niet op dat schip wonen, ergens aan de andere kant van de Burgergracht?'

Meneer Keurmans schudde zijn hoofd. 'Woonboten in Burgerdam? U weet dat die verboden zijn. Maar ...'

'Maar wat?' mopperde meneer Puntstra.

'De verzameling moet heel bijzonder zijn en het museum moet binnen een half jaar na de dood van de oude heer klaar zijn,' zei meneer Keurmans. Hij keek weer in zijn papieren. 'En dat is vandaag over negen dagen.'

Puntstra wees naar het schip. 'Hoe bepaalt u wat heel bijzonder is?'

Meneer Keurmans krabde op zijn hoofd. 'Lastig inderdaad, want wat is nou heel bijzonder?'

'En als ik u beloof dat u met carnaval tot prins wordt gekozen?' vroeg meneer Puntstra.

'Dan zeg ik dat wat we daarbinnen zien niet zo bijzonder is,' zei meneer Keurmans meteen.

## 9. Bella Lisa

'Ik wist wel dat u zou komen!' riep Krinkel vrolijk tegen meneer Puntstra. Ze trok hem mee aan zijn jasje.

De inspecteur verdween tussen een groepje Burgerdammers die om de beurt in de badkuip uit de koninklijke trein mochten zitten.

Krinkel liet meneer Puntstra een kastje met haaientanden, oude munten en een botjesketting uit Australië zien. 'Heeft u wel eens last van buikpijn?'

'Op dit moment wel,' zei meneer Puntstra boos en hij keek om zich heen, zoekend naar meneer Keurmans.

Krinkel pakte de botjesketting en hing hem om bij meneer Puntstra. 'Deze werkt altijd!'

Meneer Puntstra deed de ketting snel weer af. Toen Krinkel en meneer Puntstra zich omdraaiden, botsten ze tegen burgemeester Windewaai op. Ze stond gebogen naar iets te kijken en riep: 'Wat scháttig, de eerste tandjes van onze koning!' Ze hield een doosje met wit-bruine stompjes voor de neus van meneer Puntstra.

'Hoogst interessant,' zei meneer Puntstra met een neplach.

Krinkels vader kwam erbij staan en tikte de burgemeester vriendelijk op haar schouder. 'U heeft een geweldige smaak,' zei hij.

'U heeft óók een bijzondere smaak, meneer Von Toetbergen,' zei mevrouw Windewaai en ze bloosde.

'Maar niet bijzonder genoeg,' zei meneer Puntstra. 'Jammer voor u dat er een bejaardentehuis komt.'

'Inderdaad, jammer eigenlijk,' zei de burgemeester en ze boog zich weer over de tandjes.

'Kom meneer Puntstra, ik geef u een rondleiding door MORS,' zei Krinkels vader.

'Daar is de inspecteur!' riep meneer Puntstra en hij wees naar het koninklijke bad. Krinkel en haar vader liepen achter hem aan.

De inspecteur lag languit in het koninklijke bad en dronk een glaasje groene limonade.

Meneer Puntstra trok meneer Keurmans aan zijn arm en fluisterde: 'U bent een inspecteur, geen badgast. Weet u nog waarvoor u gekomen bent en wat ik u heb beloofd?'

'Jazeker,' zei meneer Keurmans.

'Welkom in MORS, inspecteur,' zei Krinkels vader. De inspecteur zei met een deftige stem: 'Ik ben gekomen om vast te stellen of uw verzameling bijzonder genoeg is. Is dat niet zo, dan gaat het museum dicht en komt er een bejaardentehuis in Den Engel.' Hij graaide zijn papieren bij elkaar en duwde ze onder de neus van Krinkels vader. 'Lees maar.'

Krinkels vader fronste zijn wenkbrauwen. 'Geen probleem, inspecteur. Kijkt u maar naar de mensen hier. Zij en de burgemeester vinden het geweldig.'

De inspecteur maakte zich breed en zei: 'Ik ben hier de man die zegt of het geweldig genoeg is.'

Hij klom op een oude ton en schraapte zijn keel.
'Iedereen moet nu MORS verlaten. Alleen de familie Von Toetbergen, meneer Puntstra en de burgemeester mogen blijven. Vandaag beslis ik of MORS mag blijven.'
De Burgerdammers verlieten het schip.
Mevrouw Windewaai poederde haar neus en zei niets.
De inspecteur liep met grote passen door het museum. Af en toe pakte hij een handje oude munten, schelpen of een paar oude potjes. 'Bijzonder, maar niet echt bijzonder,' zei hij.
De inspecteur rook aan het potje middeleeuws snot. 'Wie zegt dat dit geen snot van de veilingmeester is?' Bij het eierdopje van Columbus zei hij: 'Ze kunnen me nog meer vertellen, zo'n eierdopje heeft mijn oma ook. Helaas, familie Von Toetbergen,' zei hij na een tijdje. 'De burgemeester en ik vinden het museum niet bijzonder genoeg voor Burgerdam.'
De burgemeester knikte en begon haar nagels te inspecteren.
'Inderdaad, in Burgerdam hoort een bejaardentehuis en geen rommelkast,' zei meneer Puntstra.
'Maar de familie krijgt een laatste kans,' zei burgemeester Windewaai vlug. 'Als u binnen twee dagen toch een bijzondere verzameling heeft, kan MORS blijven. Of die verzameling bijzonder genoeg is, dat beslis ik!'
Ze veegde een lange lok uit haar gezicht. Ze keek meneer Keurmans recht in zijn gezicht. 'Je bent burgemeester of je bent het niet.'

'Wat maakt volgens ú de verzameling echt bijzonder?' vroeg Krinkels moeder aan haar.

De burgemeester beet op haar gelakte vingernagels.
In de tijd dat ze nadacht, at Krinkel twee bananen.

'De Bella Lisa, het schilderij van mijn bet-bet-bet-
overgrootmoeder,' antwoordde de burgemeester
dromerig. 'Een bijzonder mooi schilderij voor het
museum.'

'Een bijzonder mooi, peperduur schilderij.' Meneer
Puntstra wreef tevreden in zijn handen. 'Goede
keus, burgemeester.'

Krinkel klapte in haar handen. 'Waar is die Bella
Lisa?'

'In het Rijksmuseum,' zei de burgemeester. 'Burgerdam mag het hebben voor …'

'Wanneer kunnen we het schilderij ophalen?' vroeg
Krinkel.

Meneer Puntstra ging voor haar staan. 'Je zult het
eerst moeten kopen, meisje.'

Krinkel viste tien munten uit haar kreukeljurk. 'Is
dit genoeg?'

Meneer Puntstra lachte zijn gemeenste lach. 'Ja, en
dan nog tien miljoen erbij.'

## 10. Waar is de sleutel?

Krinkel en Stan zaten op de kade van de Burgergracht.
'Hoeveel dagen hebben we nog?' vroeg Stan.
'Nog twee,' zei Krinkel. 'Dat is toch best veel?'
Maar ze wist hoe moeilijk het was om binnen twee
dagen het geld voor de Bella Lisa bij elkaar te krijgen. Haar moeder probeerde elke dag op de markt
tekeningen te verkopen. Maar ze had er nog bijna
niets mee verdiend. Krinkel wist dat de buikpijn
die ze voelde niet door de tros bananen kwam die
ze achter elkaar had opgegeten. Het kwam door-
dat haar vader steeds op de kaart van Argilië zat te
turen. Ze begreep het niet. De spullen in MORS
waren toch heel bijzonder? Oom Dilovardus wilde
dat de Burgerdammers vrolijk zouden worden van
het museum. Dat werd je toch niet van een oud
schilderij?
'Die sleutel waar tante Tamara het over had,' zei
Stan ineens, 'die zou toch geluk brengen? We zouden er toch snel achterkomen waar die sleutel is en
waarvoor we hem nodig hebben?'
'Haar glazen bol helpt niet mee. Ze ziet er steeds
alleen maar zand en lichtflitsen in,' zei Krinkel.
'Ze wordt oud, misschien ziet ze alles niet meer zo
goed.'
Krinkel en Stan schrokken op van het geklots van

water. Onder de brug verscheen Berend in een oude roeiboot.

'Berend, wat een mooie boot!' riep Krinkel.

Berend roeide de boot naar de kant. 'Een oudje, maar hij doet het nog prima! Boffen, hij lag bij het grof vuil. Meevaren? Mijn schip brengt je waar je maar wil.'

Na elkaar sprongen Krinkel en Stan in de boot. Kaka wipte nieuwsgierig heen en weer.

'Naar Afrika!' riep Krinkel. Ze knipte met haar vingers.

'Zoals u wenst, juffrouw,' zei Berend en hij roeide de Burgergracht op.

Kaka fladderde vooruit onder een brug door en vloog weer terug om te kijken waar het bootje bleef. Berend gaf de riemen aan Stan. 'Doorroeien, dan kunnen we vanavond nog in Afrika zijn.' Hij ging op het bankje tegenover Krinkel zitten. 'Vertel eens, jullie blijven toch zeker wel in dat mooie huis wonen?'

'Natuurlijk, we laten ons niet wegjagen,' zei Krinkel.

'Goed zo,' zei Berend. 'Het is ze wél gelukt om míj uit mijn huis te jagen. Dat gebeurt niet nog een keer!' Berend draaide de ring met het gouden hartje rond zijn vinger.

'Waarom hebben ze je weggejaagd?' vroeg Krinkel.

'Mijn vader was heel ziek en ik zorgde voor hem,' vertelde Berend. 'Als hij sliep, schreef ik gedichten over Burgerdam, maar daarmee verdiende ik niet zo veel geld. De medicijnen waren verschrikkelijk

duur en op het laatst had ik een grote schuld. De
week nadat mijn vader was gestorven, moest ik ons
huisje uit. Nu slaap ik alweer tien jaar onder een
brug.' Zelfs Berends lachrimpels leken nu verdrie-
tig. Berend tikte op het hartje van zijn ring. 'Dit is
het enige wat ik nog van hem heb.' Hij klikte het
hartje open. Er zat een fotootje in van een man met
vrolijke ogen.
'Ze maken zich hier druk om een bejaardentehuis
en jij moet weg uit je huisje!' riep Krinkel.
'Kan de burgemeester niks doen?' vroeg Stan.
'Die vindt het alleen belangrijk dat haar haar goed
zit,' bromde Berend. Hij kreeg een flinke hoestbui.
Krinkel pakte de riemen van Stan over. 'Roeien op
een gracht gaat veel sneller dan in een boomstam
over de rivier!' Met gemak roeide ze de boot onder
de gebogen stenen bruggen door. 'Wat veel bruggen!'
'Vroeger had iedereen zijn eigen brug,' vertelde Berend. 'De bakker verkocht broodjes op de Bakkerbrug en de smid stond op de Smidbrug. Er zijn nog
veel meer bruggen. In de stenen van elke brug zit
één grotere steen met een afbeelding.' Berend wees
naar een steen vlak boven de boog van de brug. Er
stond een paard op afgebeeld. 'Dit is de Paarden-
brug, mijn brug ... met mijn huis.'
'Paarrrdenbrrrug,' riep Kaka vrolijk. Onder de brug
stopte Krinkel de boot. Aan de kant stond een
bankje en er lag een matras op de grond.
'Aardig huisje, vind je niet?' grapte Berend.
Krinkel viste een paar bananen uit haar jurkzak.

'Jammer dat de sleutel van de kelderdeur kwijt is,' zei Krinkel. 'Anders kon je bij ons in de kelder wonen.'

Berend veegde een sliert bananenschil uit zijn baard. 'We varen terug naar Den Engel.'

Ze voeren naar de hoek met de bakkerswinkel. Krinkel keek naar het graan op de steen van de brug. 'Dit is de Bakkerbrug,' vertelde Berend als een echte gids.

Toen stuurde Krinkel de boot naar de Smidbrug, de brug bij Den Engel.

'Jullie brug is de Smidbrug, dat zie je aan de sleutel op de steen,' zei Berend.

De hoofden van Stan en Krinkel gingen tegelijk omhoog. 'Het is een gouden sleutel!' riepen ze.

'Krijgt je tante toch nog gelijk!' riep Stan.

'Waar hebben jullie het over?' vroeg Berend verbaasd.

'De steen steekt een beetje uit!' riep Krinkel.

Kaka vloog opgewonden naar de steen en klopte met zijn snavel tegen het cement rondom de steen. Stan keek in Kaka's slimme kraaloogjes. 'Wat zie je?'

Als een specht tikte Kaka kleine brokjes cement weg. De sleutelsteen kwam steeds verder los. Na een poosje had Kaka de steen helemaal losgewrikt. Ondertussen legde Krinkel de boot vast. Samen met Stan en Berend liep ze de brug op.

Krinkel keek naar de lange, magere armen van Berend. 'Een klusje voor jou, Berend,' lachte ze.

Berend bukte bij het hekje van de brug en stak zijn armen uit naar de steen. Hij trok de steen voorzich-

tig los en haalde hem omhoog. 'Een gat!' riep hij.
'Zou er echt een sleutel in zitten?' vroeg Stan.
'Mag ik kijken?' vroeg Krinkel ongeduldig.
'Laat mij maar, ik graai wel vaker ergens in,' grinnikte Berend. 'Wacht, ik voel iets!' Voorzichtig trok
hij zijn arm uit het gat en hij liet Stan en Krinkel
zien wat hij vasthield. Een glimmende, zilveren
sleutel.
'We hebben de sleutel!' juichte Krinkel.
'We hebben *een* sleutel,' zei Stan sip. 'Deze is niet
van goud, maar van zilver.'

## 11. Gevonden!

'Eén, twee … nu!' riep Stan. Ze duwden tegen
de zware kelderdeur die ze met de sleutel hadden
opengemaakt. Piepend en krakend ging hij open.
Krinkel snoof de kelderlucht op die van beneden
kwam.

'Het ruikt hier precies als in MORS, maar ook naar
het ziekenhuis,' fluisterde Stan.

Krinkel en Stan slopen de keldertrap af die al net zo
kraakte als de deur. Krinkels ogen moesten wennen
aan het donker. Ze knipte de zaklantaarn aan en
zag meteen de troep die overal lag. Kapotte bed-
den, verroeste verfblikken, stapels oude planken en
een matras waar hooi uit puilde. Voetje voor voetje
liepen Stan en Krinkel verder. Iets nats en harigs
streek langs hun gezichten.

Stan bleef staan en veegde over zijn voorhoofd.
'Yek, wat voor smerigs was dat?' zei hij.

Krinkel scheen met de zaklantaarn omhoog. 'Het
is maar een touw, Stan.' De zaklantaarn verlichtte
een dik touw dat vanaf het plafond heen en weer
bungelde.

Ze waren nu in de andere hoek van de kelder.

Aan de muur hingen planken waarop glazen potjes stonden. Op de etiketten waren doodskoppen
afgebeeld.

'Oom Dilovardus had de boel wel eens mogen op-

ruimen voor hij doodging,' zei Krinkel mopperend.
'Zullen we naar boven gaan?' vroeg Stan.
'Kom op, bangerik,' zei Krinkel. Ze liet de zaklantaarn op een deurtje schijnen. Er zat een briefje
op vastgeprikt. Aan een spijkertje ernaast hing een
gouden sleutel. 'Dit is hem!' riep Krinkel en ze trok
de sleutel en de brief van het deurtje. 'Stan, voorle-
zen!'
Stan schraapte zijn keel.

*'Ik wist wel dat jullie slimmeriken waren! Dus de
sleutel is gevonden, de sleutel die jullie en de Burgerdammers rijk zal maken. Net zoals ik een rijk man
was. Nu is het tijd voor de volgende stap.'*

'Ja oom, goed oom, vertel wat we met die sleutel
moeten,' zei Krinkel ongeduldig. 'We hebben geld
nodig om de Bella Lisa te kopen!'
'Sssst!' siste Stan. 'Laat me nou verder lezen!'

*Vertrek nu snel naar Schelperoog en vergeet de gouden
sleutel niet. Breng mijn groeten over aan mijn vriend
Rinus in herberg De Zoute Zee. Hij geeft jullie de
volgende aanwijzing.*

*Jullie Dilovardus von Toetbergen*

*PS Neem slaapzakken mee.*

We moeten naar Schelperoog!' riep Stan opgewonden.

......

Krinkel maakte het deurtje open. 'Een landkaart, het lijkt wel een speurtocht!' Krinkel haalde een vergeeld papier tevoorschijn en rolde het uit op een tafel.

Stan drukte zijn neus op de kaart en las voor: 'Den West - Den Oost - vuurtoren - herberg De Zoute Zee - strand - bos - broedgebied.'
'Broed-ge-wat?' vroeg Krinkel.
'Een plek waar vogels kunnen broeden. Daar zitten ze op hun eieren tot er kleine vogeltjes uitkomen.'
Krinkel boog zich over de landkaart. 'Meestal zetten ze een kruisje op een schatkaart.'
'Ik weet wel waar Schelperoog ligt, maar hoe moeten we er komen?' vroeg Stan.
'Misschien kunnen je vader en moeder ons brengen?' zei Krinkel.
'Die hebben het te druk met hun werk,' zei Stan. 'Ik wil trouwens niet dat mijn moeder er weer bovenop zit met haar filmploeg. Jouw vader en moeder dan?'
'Die hebben we niet nodig,' vond Krinkel. 'Ik zeg dat ik vannacht bij jou slaap. Jij zegt dat je bij mij slaapt. En ik ken nog wel iemand die vast weet hoe je met de boot bij Schelperoog kunt komen.'
'Berend,' zeiden Krinkel en Stan tegelijk.

## 12. **De Zoute Zee**

Krinkel en Stan zaten met Berend in Berends roeiboot. Berend roeide de boot door de golven van de
zee, op weg naar Schelperoog. Boven de boot vlogen krijsende meeuwen die brutaal omlaag doken,
op zoek naar brood. Kaka duikelde en krijste vrolijk
met hen mee.
'Heb je de gouden sleutel nog?' vroeg Stan.
'Nee, die heb ik aan de haaien gevoerd, nou goed,'
zei Krinkel. Ze hing over de rand van de boot en
gooide stukjes banaan naar de meeuwen. 'Ga eens
kijken, Kaka, zijn we er al bijna?' riep ze.
Kaka liet de meeuwen achter zich en ging ervan-
door. Een kleine meeuw vloog met hem mee.
Krinkel ging weer naast Stan zitten, die zich over de
landkaart van haar oudoom boog.
Berend wees een dorpje aan op de kaart. 'Dat is de
haven bij Den West, daar komen we straks aan.'
'Daar heb je Kaka en dat meeuwtje weer!' riep Stan,
turend door Krinkels verrekijker.
Kaka en de meeuw landden op de punt van de
boot.
'Land in zicht!' kakelde de papegaai. Naast hem
hipte de kleine meeuw.
Krinkel aaide Kaka over de blauwe veertjes op zijn
kop. 'Ik zie dat je al een vriendje hebt gevonden.'
'Vrrriendinnetje,' kraste Kaka.

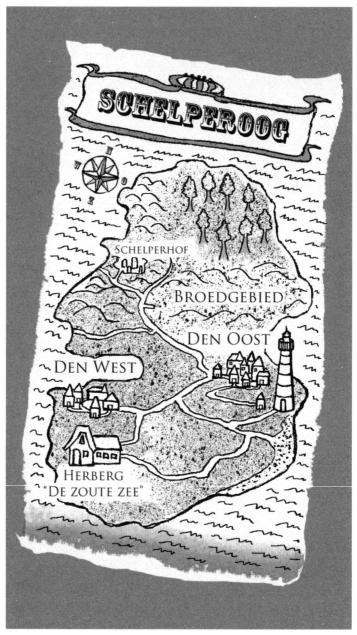

'Wat een mooi donker kopje heeft ze, het is een kokmeeuw,' zei Berend.

Krinkel streek het meeuwtje over haar donkere kopje en over haar witte buikje. 'Ik noem je Kokkie,' zei ze en ze wees naar de horizon. 'Woon je daar, Kokkie?'

'Kriaa! Kriaa!' krijste Kokkie.

In de verte verscheen een lange streep zand met duinen en toefjes groen. Aan de ene kant lag tussen de duinen een groepje huisjes. Aan de andere kant stonden huisjes en een vuurtoren.

Krinkel snoof de zeelucht op. De zee rook hier anders dan de zee bij het oerwoud.

Toen Berend de roeiboot had vastgelegd, sprong Krinkel de boot uit en ze rende zo hard als ze kon weg.

'Die heeft het strand geroken,' grijnsde Berend.

Krinkel holde de haven uit. Op het strand deed ze vlug haar kreukeljurk uit en ze liep het water in. Ze liet zich achterover in het water vallen en dreef met haar armen en benen wijd op het water.

'Hoe voelt het?' riep Berend.

Proestend kwam Krinkel overeind. 'Nou weet ik waarom die herberg De Zoute Zee heet!'

Boven de deur van de herberg zwaaide een uithangbord met De Zoute Zee erop zachtjes heen en weer. Krinkel duwde de deur open en stapte naar binnen. In de herberg was het druk en donker. Aan de bar en de tafeltjes zaten mannen en vrouwen die vrolijk tegen elkaar praatten. In een hoekje zaten drie

mannen boven dampende kommen soep. 'Lekker
soepje, Rinus!' riep een van hen. Uit zijn mondhoeken staken sliertjes ui. Hij zwaaide naar een man
met een groot schort voor en een bos vuurrood
haar. 'Rinus, schenk de glazen nog eens vol!' klonk
het uit een andere hoek.
De roodharige man draafde heen en weer met dien-
bladen vol bier en uiensoep.
Stan stootte Krinkel aan. 'Dat is vast die Rinus over
wie oom Dilovardus het in zijn briefje had!'
Krinkel liep op de bar af waar Rinus bezig was. De
man had haar nog steeds niet gezien. Ze klom op
een barkruk en sloeg met haar hand op de bar.
Rinus keek op. Zijn mond viel open en hij staarde
naar Krinkel. 'Jij hebt precies dezelfde ogen als
Dilovardus!'
'Wat leuk,' grinnikte Krinkel, 'dan heb ik alvast íets
van mijn oudoom!'
'Ik dacht dat je niet meer zou komen,' zei Rinus.
'Ben je alleen of met je vader en moeder?'
Krinkel ging op de barkruk staan. Ze floot op haar
vingers en wenkte Stan en Berend.
Rinus schonk voor Berend een pul bier in en voor
Krinkel en Stan een glas bessensap. 'Ik dacht, die
redden het nooit meer! Ik ben nu te druk, maar
kom morgenvroeg terug.'
'Morgen duurt te lang, we hebben de volgende aan-
wijzing zo snel mogelijk nodig,' zei Krinkel.
'Vannacht om twaalf uur bij de vuurtoren dan,' zei
Rinus.

# 13. De vuurtoren

Krinkel lag klaarwakker op het strand naast Stan en Berend en staarde naar de sterrenhemel. Zou Rinus weten waar de schat van Dilovardus was? Waar waren Kaka en Kokkie? Ze had hen al uren niet gezien. Krinkel hield het niet meer uit en kroop uit haar slaapzak. Etend van een banaan liep ze in de richting van het water, waar een lichtje brandde. Toen ze dicht bij het lichtje was, zag ze dat het de lantaarn van een visser was. De visser droeg een felgele jas die glom in het maanlicht.

'Het gaat prima, zie ik,' zei Krinkel toen ze bij de visser was. Ze gluurde in een emmer met dikke vissen.

Verstoord keek de visser op. 'Zachtjes! Ik wil graag nog meer vangen,' fluisterde hij. Pas toen keek hij opzij. 'Wat doe jij hier zo laat?'

'Ik ben Krinkel von Toetbergen,' fluisterde Krinkel. De visser keek Krinkel aan. 'Ik zie het, dezelfde ogen. Dat je toch nog op tijd gekomen bent!'

'Weet u meer over de schat?' vroeg Krinkel.

'Ik weet alleen dat … nee!' De visser keek beteuterd naar de punt van zijn hengel. 'Daar ging een vis!'

'Geef mij die hengel, ik heb het zo vaak gedaan.' Krinkel deed haar laatste stukje banaan aan het haakje en zwiepte de vislijn de zee in.

De visser keek haar verbaasd aan. Hij ging op zijn

krukje zitten en begon te vertellen.

'Toen Dilovardus hier op het eiland kwam, vonden we hem een vreemde snuiter in zijn deftige pak. Geen rode wangen van de zon, geen ruwe handen van de wind.'

'Wat kwam hij hier doen dan?' vroeg Krinkel. Ondertussen haalde ze een dikke witte vis van het haakje. 'Dat is nummer 1,' zei ze en ze liet de vis voor de neus van de visser heen en weer bungelen. De visser grijnsde. 'Dat is snel!' Hij plukte aan zijn baard. 'Dilovardus had genoeg van Burgerdam. Daar was hij geboren en hij woonde er met plezier. Maar de laatste jaren mopperden de mensen alleen maar. Hier had Dilovardus het reuze naar zijn zin en hij maakte met iedereen een praatje. Als iemand hulp nodig had, was hij er als eerste bij.'

'Waar woonde hij dan?' vroeg Krinkel, terwijl ze vis nummer 2 met een boog in de emmer gooide.

'In het huisje bij de vuurtoren,' zei de visser.

'Maar daar woont Rinus toch!' zei Krinkel.

'Dat klopt, toen Dilovardus overleden was, is hij er gaan wonen. Rinus was de beste vriend van je oudoom.' Hij keek bewonderend toe toen Krinkel alweer beet had en een dikke vis van de haak haalde. 'Je bent net zo handig als Dilovardus!'

'Vertel nu waar die schat is,' zei Krinkel.

'Van een schat weet ik niets,' zei de visser. 'Maar … je oom was met iets geheimzinnigs bezig in de vuurtoren. Zelfs voor Rinus was het een geheim.'

Ineens werd Krinkel op haar rug getikt.

'Het is twaalf uur,' zei Stan.

Krinkel, Stan en Berend zaten tegen de vuurtoren
aan geleund.
'Het is al kwart over, waar blijft Rinus?' vroeg Stan.
'Ik vraag me eerder af waar Kaka is,' zei Krinkel.
'Hij is nu al zo'n tijd weg, niks voor Kaka.'
'Het zal heus niet lang duren,' zei Berend geruststel-
lend. 'Papegaaien kunnen niet zonder hun maatje.'
Er klonk geronk in de verte en een rond lichtje
kwam steeds dichterbij.
Krinkel lachte toen Rinus op zijn knalrode brom-
mer voor hun neus stond. 'Dat ging hard!' zei ze en
ze klopte op een kist achter op de brommer. Zoute
Zee expreZZ stond erop. 'Wat zit daarin?'
'Ik moest zoute haring halen in Den Oost.' Rinus
stapte af en graaide in de kist. 'Wie wil er een?'
Aan Rinus' keukentafel smulden ze van de haring.
Krinkel liet net als Berend de vis in haar keelgat
glijden.
'Zalig,' zei ze en ze likte haar mondhoeken schoon.
'Vertel nu waarom oom Dilovardus mij heeft laten
komen. Wat heeft hij hier voor ons verstopt?'
Rinus hees zich van zijn stoel. Hij schuifelde naar
een kast en pakte er een fotoalbum uit. 'Dit moest
ik van Dilovardus aan jullie geven.'
Krinkel pakte het aan. 'Wat hebben we hieraan?'
'Kijk nou maar. Het was zijn laatste wens,' zei
Rinus. 'Hij gaf het me op de dag dat hij doodging.'
Krinkel sloeg het album open. Ze wist niet wat ze
zag.

## 14. De laatste foto

Krinkel wees naar een foto van een man met de ogen van Krinkel. Op zijn schoot zat een jongetje. 'Dit is in onze huiskamer in Den Engel!'
'Zo zout heb ik het nog nooit gegeten,' zei Rinus verrast. 'Die man is Dilovardus, in zijn jonge jaren!'
Stan las de kleine lettertjes onder de foto voor. *'In Den Engel met mijn achterneefje Toetsie.'*
'Mijn vaders voornaam is Toets,' zei Krinkel.
'Dilovardus praatte vaak over Toets,' zei Rinus.
Vlug bladerde Krinkel verder. Wat was het vroeger anders in Burgerdam! Oude mensen kletsten op een bankje en kinderen speelden op straat. Op alle foto's stond een vrolijke oom Dilovardus. Hij jongleerde, maakte een praatje met een opa of deelde chocolademelk uit aan schaatsers.
Krinkel wees op een foto waar het feest was.
Stan las de zin voor: *'Theo en Berend op de nieuwe duikplank.'*
'Niet te geloven,' mompelde Berend. 'Dat jongetje ben ik. En dat andere jongetje is Theo Puntstra.'
'Die saaie meneer Puntstra?' zei Krinkel grinnikend.
'We waren de beste vrienden en de zwemkampioenen van Burgerdam,' vertelde Berend. 'Toen kon je nog zwemmen in de gracht. Maar sinds er een dam in de gracht is gebouwd niet meer. Toen we ouder werden, was onze vriendschap snel over. Theo vond

alleen zichzelf belangrijk.'

Krinkel bladerde verder door het fotoalbum. Het was nu bijna uit en ze gaapte. De laatste foto's waren kleurenfoto's. Het waren foto's van oom Dilovardus op Schelperoog. Hij timmerde een bankje van aangespoeld hout, gaf een lammetje de fles en verzorgde de poot van een meeuw.

'Dilovardus was de beste strandjutter, visser en dierenarts van heel Schelperoog,' zei Rinus. 'Maar hij werd ziek en hij liet zich nooit meer zien. Altijd was hij bezig in de vuurtoren. Ik weet niet waarmee.'

Krinkel zwaaide de gouden sleutel voor Rinus' ogen heen en weer. 'Ken je deze sleutel?'

'Nooit gezien,' zei Rinus en hij vertelde verder. 'Op een dag was Dilovardus verdwenen. Na twee dagen was hij weer terug en gaf hij me een brief. "Lees hem als ik er niet meer ben," zei hij. Diezelfde nacht stierf hij.'

'Wat stond er in die brief?' vroeg Stan dringend.

'Dat hij naar Burgerdam was geweest om dingen te regelen voor als hij dood zou gaan,' zei Rinus. 'Zijn huis was voor Toets en zijn familie. Ook schreef hij over zijn grote wens dat Burgerdam weer net zo leuk zou worden als vroeger. En dat jullie daarvoor konden zorgen met zijn hulp. Tot slot vroeg hij me jullie dit fotoboek te geven.'

'Waar blijft zijn hulp dan? We weten nóg niks en het fotoboek is uit,' zei Stan.

Krinkel sloeg de laatste bladzijde om.

Op de laatste foto stond oom Dilovardus die een gouden sleutel in een deur van ijzer stak.

'Zoute zee nog aan toe!' riep Rinus. 'Dat is de deur van de kolenkamer in de vuurtoren! Maar die kan ik niet meer openmaken. Er is geen sleutel van.'

'Waarom heeft hij die sleutel niet gewoon opgestuurd?' mopperde Stan. Hij klom achter Rinus, Krinkel en Berend aan de draaitrap van de vuurtoren op.
'Opsturen naar het oerwoud zeker!' riep Krinkel.
'Hij had hem toch ook in Den Engel kunnen klaarleggen,' zei Stan.
'Niet iedereen in Burgerdam is te vertrouwen,' zei Berend.
'We zijn er,' zei Rinus. Hij tikte tegen een ijzeren deur. 'Alleen Dilovardus kwam hier binnen.'
Krinkel viste de sleutel uit haar kreukeljurk en stak hem in het slot. 'Hij past!'
Ze keken de kolenkamer rond. Krinkel pakte de zaklantaarn uit Rinus' hand. Ze liet de lichtbundel langs de ronde muur glijden.
'Oom Dilovardus was nog erger dan tante Tamara en mijn vader samen!' De muur hing vol ankers, schilderijen, zeewier, scheepjes in flesjes en landkaarten.
'Dit soort spullen heeft MORS al genoeg,' zei Stan.
Toen scheen Krinkel omlaag. Voor hen stond een lage tafel vol opgezette dieren: uilen, ratjes, mollen, dassen en eekhoorns. Er lag een briefje bij. Krinkel herkende het kriebelige handschrift van oom Dilovardus meteen.
Stan las voor:

*'Aan deze bijzondere verzameling heb ik jaren ge-
werkt. Wat je hier ziet, zal Burgerdam en jullie redden. Ik zeg jullie nu vaarwel. Ik ben trots op jullie!*

*Dilovardus'*

'Opgezette dieren? Hoe kunnen we daar Burgerdam
mee redden?' zei Krinkel. 'Hoe krijgen we op tijd
genoeg geld bij elkaar om het schilderij te kopen?'
'Moet je dit zien!' riep Stan en hij wees op een
groepje opgezette mollen. Oom Dilovardus had ze
kleertjes aangetrokken en ze in schoolbankjes gezet.
Krinkel scheen op vijf ratjes met zwembroekjes
aan en duikbrillen op. Een van de beestjes had een
briefje in zijn pootje. 'Stan, weer een briefje.'

*'Deze dieren heb ik niet doodgemaakt, ik hield juist
van dieren. Ik heb ze gevonden langs de weg en in het
bos. Ik heb ze alleen maar een beetje mooi gemaakt.'*

'Deze eekhoorntjes zijn grappig!' Krinkel hurkte
naast een eekhoornfamilie. Zij en Stan aaiden de
eekhoorns stuk voor stuk. Eerst de vadereekhoorn,
met een tuinbroek aan en een hark in zijn hand.
Daarna de moedereekhoorn, met een leren jasje
aan, en de twee kinderen, in een truitje.
'Kijk eens naar die ogen,' fluisterde Stan.
'Dat zijn geen kralen,' fluisterde Krinkel. 'Het lijken wel …'
'Diamanten!' riep Stan.

## 15. Waar is Kaka?

Krinkel luisterde naar het gesnurk van Rinus en
Berend in de bedstee naast haar. Ze was blij dat ze
door de diamanten nu rijk waren. Straks gingen ze
terug naar Burgerdam. Maar Kaka dan? Kaka had
haar nog nooit in de steek gelaten. Ze had zelfs nog
nooit een nacht zonder Kaka geslapen.
Zachtjes zong ze zichzelf in slaap met het liedje dat
Kaka elke nacht voor haar zong.

Twee uur later werd Krinkel wakker. De zon was
net opgekomen en scheen naar binnen door de ruit
van het vuurtorenhuisje. Krinkel schudde Stan wak-
ker.
'Opstaan, we moeten Kaka zoeken voor Rinus en
Berend wakker worden.'
Krinkel en Stan stonden binnen een minuut buiten.
'Wat ben je van plan, het is vijf uur 's morgens!'
Krinkel duwde de brommer uit het mulle zand.
'Een klusje voor de Zoute Zee expreZZ! We gaan
Kaka ophalen!' Krinkel sprong op de brommer en
Stan klom achterop.
Krinkel stuurde de brommer over schelpenpaadjes
van de ene naar de andere duin.
Na vijf minuten minderde ze vaart. Met piepende
banden stopte ze de brommer op het schelpenpad.
Ze keek naar een wegwijzer. In een houten pijl

stond gekerfd: *Vogelbroedplaats. Stilte. Verboden toegang.*

'Volgens mij helpt Kaka Kokkie,' zei Krinkel. 'Misschien is zij hier wel aan het broe..'

Ineens kwam er een grote zwerm schreeuwende meeuwen op hen af. De sterkste, grootste vogels sloegen hun vleugels tegen Stan en Krinkel.

'Au!' gilde Stan toen een vogel tegen hem aan vloog.

'Rustig maar, ik wilde alleen vragen of Kaka en Kokkie hier zijn,' zei Krinkel.

De meeuw sloeg nu nog wilder met zijn vleugels.

'We gaan al,' zei Krinkel. Samen met Stan sprong ze op de brommer en ronkend reden ze weg. Na een kilometer stopte Krinkel bij een paar bessenstruiken.

'Ik heb honger,' zei ze en ze plukte een paar duinbessen.

Ook Stan propte een handjevol bessen in zijn mond.

Ze ploften neer bij een wegwijzer.

'Kokkie is vast weggejaagd, omdat ze geen mannetje van haar eigen soort heeft. Kaka wil haar alleen maar helpen,' zuchtte Krinkel. 'Zelfs de vogels in dit land begrijp ik niet. Als Kokkie maar een rustig broedplekje heeft gevonden.'

'Vast wel, maar waar zijn we eigenlijk?' vroeg Stan en hij keek op de wegwijzer. 'Deze pijl wijst naar de vuurtoren, de andere naar Begraafplaats Schelperhof.'

'Zou oom Dilovardus daar begraven zijn?' vroeg Krinkel aan Stan. Ze sprong op en begon te rennen.

Schelperhof lag midden in de duinen. Er lagen
schelpen tussen de graven en er groeide helmgras.
'Hoe vinden we het graf van oom Dilovardus?'
vroeg Stan terwijl hij tegen de schelpen schopte.
'Dat kost veel tijd en die hebben we niet.'
'Hij heeft vast het allermooiste graf,' zei Krinkel.
'Met bananenplanten, een rots, gekleurde bloemen
en …'
'Hier zijn de graven grijs en glad,' zei Stan.
'Het graf van Dilovardus niet,' zei Krinkel beslist.

'Dilovarrrdus!' klonk het ineens over de begraafplaats.
'Kaka, waar ben je?' riep Krinkel.
'Hierrr, kom maarrr mee!' kraste hij.
Krinkel en Stan renden Kaka achterna. Een paar
paadjes verderop landde Kaka op een grote kei.
'Een kei, net wat voor oom Dilovardus,' zei Krinkel. Ze pakte Kaka vast en knuffelde hem. 'Waar
ben je toch al die tijd geweest? En waar is Kokkie?'
Kaka fladderde weg naar de andere kant van de kei
waar een vogelbadje van steen stond. Daarop zat
Kokkie in een nestje. 'Kriee, kriee, kriee,' klonk het
zachtjes. Krinkel en Stan gingen ernaast zitten.
'Drie meeuwtjes,' zei Krinkel. 'Kokkie is moeder
geworden!'
Krinkel aaide Kokkie over haar zwarte kopje. 'Je
hebt de allerbeste pleegvader uitgekozen voor je
kindjes, Kokkie.' En tegen Kaka zei ze: 'Ik heb je
heel erg gemist vannacht. Komen jullie snel naar
Burgerdam?'

'Snel, een paarrr dagen,' zei Kaka. 'Een paarrr dagen.'
'De baby's moeten natuurlijk eerst even wennen,'
zei Krinkel. 'Ik snap het, maar kom zo snel mogelijk.'
Kaka gaf haar een kopje.
Stan trok Krinkel overeind. 'We gaan Berend wakker maken; we moeten nu echt terug naar Burgerdam. Morgen moet MORS open!'

## 16. Terug naar Burgerdam

In de haven nam Rinus afscheid van Krinkel, Stan en Berend. 'Zink niet, de boot is topzwaar met die zakken. Hoe sneller jullie die opgezette beesten aan de overkant hebben, hoe beter.'

'Dag, lieve Rinus!' riep Krinkel toen de boot wegvoer. 'Doe Kaka en Kokkie de groeten en zeg ze dat ze snel moeten komen!' Ze zwaaide naar Rinus tot er van hem niet meer was te zien dan een stipje. Krinkel en Stan roeiden de boot door de Schelperzee. Berend klapte het gouden hartje van zijn ring open en kuste het footootje. 'Het gaat lukken, pap.' Tussen zijn benen stond een koffertje met de eekhoorns.

'Waarom wilde je al die opgezette dieren meenemen?' vroeg Stan. 'We hebben alleen de diamanten uit de eekhoorns nodig voor de Bella Lisa.'

'Als oom Dilovardus zegt dat we met zijn dieren onszelf én Burgerdam kunnen redden, dan is dat zo,' zei Krinkel. 'De burgemeester kan haar bet-bet-bet-overgrootmoeder krijgen, maar de dieren van oom Dilovardus komen ook in MORS!'

De kade voor Den Engel stond vol mensen. Als eerste zag Krinkel haar en Stans vader en moeder, tante Tamara, meneer Puntstra, de inspecteur, burgemeester Windewaai en alle kinderen van Burgerdam. Krinkel riep: 'We hebben het gevonden,

hoor!' Ze roeide de laatste meters en klom voorzichtig over de spullen naar de punt van de boot.
'Hoi pap!' Ze gooide een touw naar haar vader.
'Wat hebben jullie uitgespookt?' riep haar vader en hij ving het touw met één hand.
Krinkel vloog hem in zijn armen. 'Het is gelukt, MORS kan blijven,' fluisterde ze.
Stans moeder hield Stan stevig vast. 'Je zei dat je bij Krinkel was!' Ze huilde en ze wees naar Berend. 'Ben je met hém mee geweest?'
'Stan heeft iets belangrijks voor Burgerdam gedaan,' zei Krinkel. 'Ik zou apetrots op hem zijn als ik u was.'
Stans moeder pakte Stan bij zijn schouders. 'Je mag Krinkel voorlopig alleen nog maar op school zien.'
Krinkel keek Stan aan. Toen zijn moeder even niet keek, gaf hij haar een knipoog.
De mannen van BTV duwden een microfoon onder Krinkels neus. 'Wat hebben jullie gevonden?'
'Iets héél bij-zon-ders!' zei Krinkel langzaam en duidelijk, zodat iedereen het kon horen.
'Hebben jullie het geld voor de Bella Lisa?'
'Niet zo nieuwsgierig,' zei Krinkel.
Ze draaide zich om en knuffelde haar moeder en tante Tamara. 'Jullie waren toch niet ongerust?'
'Tante Tamara zag in haar bol dat het goed was,' zei haar moeder. 'Een strand, een fotoboek, een donkere kamer, iets glimmends. Ik ben benieuwd!'
Meneer Puntstra had zich tussen de mensen door naar voren geduwd en gluurde van de zakken naar het koffertje.

Berend zat nog in de boot en hield het koffertje met de eekhoorns stevig vast.

'Ik vroeg me af wat jullie gevonden hebben,' zei meneer Puntstra.

'Daar kom je vanzelf achter,' zei Berend.

'Zeg het gewoon,' zei meneer Punstra met een zoete stem. 'We waren toch vrienden vroeger?'

'Ik kan je vast zeggen dat het er slecht voor je uitziet,' zei Berend.

Meneer Puntstra liep rood aan. 'Morgen gaat MORS er voorgoed aan.' Hij riep tegen Krinkel: 'Dan is het afgelopen! Met jou, je familie en je vieze poeppapegaai!'

'Wacht maar af,' grijnsde Krinkel. 'En over die vieze poeppapegaai van mij: die is op Schelperoog pleegvader geworden van drie lieve meeuwtjes. Ze komen straks met z'n vijven naar Burgerdam. En babymeeuwen dragen geen luiers!'

Meneer Puntstra liep weg en botste bijna tegen de burgemeester aan.

Mevrouw Windewaai kwam naar Krinkel toe. 'Gaat het lukken, kan Burgerdam de Bella Lisa krijgen?'

'Uw bet-bet-bet-overgrootmoeder krijgt een mooi plaatsje,' zei Krinkel. 'En als u wilt, hangen we uw bet-bet-bet-overgrootvader er ook bij. Lijkt het toch nog een beetje op een bejaardentehuis.'

De burgemeester begon te giechelen.

Krinkel riep: 'Kom morgen allemaal naar het nieuwe MORS! Dan kunnen jullie komen kijken naar het aller-aller-bijzonderste …' Ze hield het koffertje met de eekhoorns hoog boven haar hoofd.

## 17. De paarse sjaal

Krinkel was vroeg opgestaan en liep rond in MORS. Met haar vader en moeder had ze de hele nacht doorgewerkt. Alle dieren uit Schelperoog hadden een mooi plekje gekregen in het scheeps-ruim. Krinkel had verteld over Schelperoog en Rinus en ze had de foto's van oom Dilovardus laten zien. Haar moeder had gegiecheld om meneer Puntstra in zijn zwembroekje. Door de raampjes van het schip keek ze naar Stans huis. Stan alleen nog maar zien op school ... ze wilde er niet aan den-ken. Maar vandaag zou ze hem zeker zien. Hij had beloofd als eerste naar MORS te komen.

De mensen zouden MORS geweldig vinden, dacht Krinkel. Ze liep naar een glazen kastje waarin de eekhoorns veilig opgeborgen waren. Van een plank pakte ze een sleuteltje en ze maakte het kastje open. 'Jammer van jullie mooie oogjes,' zei Krinkel tegen de eekhoorns. 'Ze moeten eruit, want we hebben geld nodig om de bet-bet-bet-overgrootmoeder van de burgemeester te kopen. We gaan er mooie glazen oogjes indoen, maar nu laten we ze nog even zitten. Als verrassing voor de burgemeester, meneer Punt-stra en meneer Keurmans.'

Ze pakte de moedereekhoorn en met de punt van haar kreukeljurk boende ze voorzichtig over de dia-manten oogjes. Ze was er zo druk mee dat ze schrok

van de bel. 'Even opendoen voor Stan,' zei ze en ze
zette de eekhoorn neer.

Het was niet Stan, maar iemand met een glimmende paarse sjaal om het hoofd en een lange jas.
De sjaal liet alleen een stukje neus en een zonnebril
vrij.
'We zijn nog gesloten,' zei Krinkel.
'Koet morken,' klonk een vreemde mannenstem
vanonder de sjaal. 'Zijn die kienderen van de school
hier nog niet? Mijn kiend ies zijn brood vergeten.'
Voor Krinkel het wist was de rare man MORS bin-
nengestapt.
'Mooie eekhoornzzz,' zuchtte hij. Hij knielde naast
de vadereekhoorn en aaide hem tussen zijn oogjes.
'Om één uur is de opening. Dan kunt u nog veel
meer mooie spullen zien,' zei Krinkel.
'Dankoewel, iek ga nu,' zei hij.
Krinkel zette vlug de eekhoorns terug in het glazen
kastje en draaide het op slot. Het sleuteltje verstopte ze in het rugzakje van een opgezet ratje. Ze keek
door de ronde raampjes naar buiten. Zag ze daar
nou dat paarse sjaalhoofd weer? 'Geen dingen zien
die er niet zijn,' zei ze tegen zichzelf. 'Je bent tante
Tamara niet.'

De kinderen van Burgerdam mochten MORS als
eersten komen bekijken. Ze renden alle kanten op.
Drie kinderen sprongen in de koninklijke badkuip
en twee jongens voelden met hun vingers in het
potje snot. De meester deed de botjesketting om

en begon te buikdansen. Maar de meeste kinderen vlogen meteen op de opgezette dieren af. Ze gilden toen ze de ratjes in hun zwembroekjes zagen.

Krinkel nam de kinderen mee naar een donkere hoek achter een gordijn. Ze drukte op een knop en ineens klonken er gefladder en oehoe-geluiden. Vijf paar ogen keken de kinderen aan.

'Het uilenbos,' zei Krinkel trots. Langzaam ging het licht feller schijnen. Op een oude eikentak had Krinkels moeder vijf uilen neergezet. Eén uil gaf een klein uiltje een fles, twee uiltjes schommelden en moederuil las de krant. Onder aan de tak was een groot nest, waarop bezoekers konden uitrusten. Toen ze het uilenbos weer uit waren, wees een jongen op de eekhoorns. 'Mag ik ze van dichtbij bekijken?'

'Nog niet,' zei Krinkel en ze knipoogde naar Stan. 'De burgemeester mag vanmiddag als eerste kijken.'

'Als MORS weg moet, eet ik de eekhoorns op,' zei Stan.

Krinkel nam de kinderen mee naar het achterste deel van het schip. Juichend renden de kinderen de ruimte in. De vloer was bedekt met een dikke laag hooi. Langs de wanden lagen hooibalen waar je met ladders op kon klimmen en met touwen weer vanaf kon springen.

'Hoe heb je dit nou weer gedaan?' vroeg Stan.

Krinkel ging naast Stan in het hooi liggen.

'Werkje van mijn vader en moeder, toen wij op Schelperoog waren.'

# 18. Slecht nieuws

'Waren je vader en moeder echt zo boos dat je een nacht weg was?' vroeg Krinkel. Ze zat met Stan op de rand van de kade.

'Mijn vader en moeder kregen ruzie,' zei Stan. 'Mijn vader zei dat het niet mijn schuld was dat ik weg was gebleven, maar hun eigen schuld. Omdat ze alleen maar werken. Mijn moeder zei dat ik voor straf jou alleen nog maar op school mag zien. Mijn vader zei nog dat hij jou zo'n leuke tropische verrassing vond. Dat ik veel vrolijker ben sinds ik jou ken. Maar mijn moeder hield vol en toen …'

'De tropische verrassing is nieuwsgierig,' grinnikte Krinkel.

'Toen heb ik het hele verhaal over Schelperoog verteld,' zei Stan. 'Anders mocht ik niet meer met je spelen.'

Stans ogen begonnen te twinkelen. 'Mijn vader is trots op me en mijn moeder moest huilen om het verhaal van Berend en zijn vader en om oom Dilovardus en Kaka en Kokkie. Ze wil een film maken over Burgerdam van vroeger. Vanmiddag komt ze filmen om aan heel Burgerdam te laten zien dat MORS eeuwig zal blijven.' Stan keek op zijn horloge. 'Het is kwart voor één, over een kwartier komen de burgemeester, meneer Puntstra en de inspecteur! Berend is vast al onderweg.'

'We moeten mijn vader en moeder halen,' zei Krinkel.

Toen zij en Stan opstonden, verscheen er plotseling een man voor hen. Hij droeg een zwarte flaphoed, een zonnebril en hoge laarzen en over zijn jas hing een verrekijker.

'Ben jij Krinkel?' vroeg de man met een zware stem. Hij praatte meteen verder. 'Ik ben vogelwachter van de Schelpereilanden en ik heb slecht nieuws voor je. Heb jij een papegaai die Kaka heet?'

Krinkel voelde haar hart wild overslaan. 'J-j-j-a-a, w-w-wat is er met hem?' zei ze bibberend.

'Hij ligt op sterven op Schelperoog. Ik ben zo snel mogelijk hier naartoe gekomen toen hij je naam riep. Hij heeft een diepe buikwond. Ik denk dat hij is aangevallen door een of ander beest.'

Krinkel keek Stan aan. 'Die meeuwen van de broedplaats hebben het vast gedaan.'

De man wreef achter zijn bril. 'Het was zo zielig. Zo'n kermende papegaai en van die piepende meeuwtjes.'

'D-d-dank u,' zei Krinkel en ze rende weg, de trap op.

'Waar ga je naartoe?' zei Stan.

'Ik ga naar Kaka!' riep Krinkel. Ze bonkte op de deur van Den Engel. Haar vader stak slaperig zijn hoofd naar buiten.

'Goed dat je ons komt halen,' zei hij gapend. 'We komen er zo aan. Heb je de diamanten mooi opgepoetst?'

'Zorg ervoor dat je op tijd in MORS bent, pap,' zei

Krinkel. 'Ik moet even weg, ik weet niet of ik op
tijd terug ben.' Haar vader keek verbaasd en hield
haar tegen. 'Wat een haast, wat heb jij nou?'
'Het is heel belangrijk, maar ik kom echt zo snel
mogelijk terug,' zei Krinkel.
Ze rende de Burgergracht op, op weg naar de brug
van Berend. Stan rende met Krinkel mee. 'Naar
Schelperoog roeien duurt veel te lang!' Hij hield
Krinkel tegen. 'We nemen de speedboot van mijn
vader!'
Krinkel lachte door haar tranen heen. 'Fantastisch
dat dat mag!'
'Mijn vader zou woedend worden als hij het wist,'
zei Stan.

Het water in de Burgerhaven spatte uit elkaar. Stan
duwde de gashendel van de speedboot helemaal
naar beneden. 'Zo zijn we er in een kwartier!' riep
hij. Met een scherpe bocht draaide hij de boot de
haven uit, richting zee. Als ze maar op tijd waren!
'Waarom heb je je vader niet gezegd dat je naar
Kaka gaat?' vroeg Stan.
'Hij zou dan met me mee willen,' zei Krinkel.
'Maar alles in MORS moet wel doorgaan. Het is
onze laatste kans om hier te blijven wonen!'
'We gaan eerst Kaka redden en als we geluk hebben, hoeven we niet veel te missen van de opening
van MORS,' zei Stan. 'Berend is er ook nog om te
helpen. Ik ben zo benieuwd wat meneer Puntstra
doet als hij de eekhoornogen ziet! Het gaat lukken,
Krinkel, en dat een dag binnen de tijd!'

De eekhoorns, de eekhoorns in het kastje, het sleuteltje van het kastje, dacht Krinkel. Haar vader wist niet waar ze het sleuteltje had verstopt!

'Stop, we moeten terug, ik ben iets vergeten!' schreeuwde ze.

'En Kaka dan?' schreeuwde Stan.

'Het moet!' riep Krinkel en ze trok hard aan het stuur.

Stan keerde de boot. 'Vertel me dan wat er is!'

Krinkel vertelde van het sleuteltje dat ze had verstopt.

Precies om één uur stoof de speedboot Burgerdam binnen. De kade bij Den Engel stond vol Burgerdammers die verbaasd keken hoe Krinkel en Stan recht op MORS af spurtten.

Krinkel sprong de boot uit en rende naar haar vader.

'Hoe dúrf je mijn boot mee te nemen!' riep Stans vader.

'Speedboten zijn streng verboden in de Burgergracht!' schreeuwde agent Stoppelaar.

Krinkel probeerde boven het geroep uit te komen. 'Pap, het sleuteltje van de eekhoornkast zit verstopt in ...'

Haar vader pakte haar stevig vast. 'Er is iets vreselijks gebeurd, Krinkel.'

Ze keek haar vader bang aan. 'Kaka ... is hij ... hoe weet je dat?'

Het was lang geleden dat haar vader haar zo hulpeloos had aangekeken. 'De eekhoorns met de diamanten zijn gestolen.'

## 19.  Waar zijn de diamanten?

'Goede grap, pap,' zei Krinkel, maar aan zijn ogen
zag ze dat hij het echt meende.
Meneer Puntstra en agent Stoppelaar kwamen
dichterbij. 'Mogen we nu eindelijk het geld voor de
Bella Lisa zien?' zei meneer Puntstra. Hij keek on-
geduldig op zijn horloge en wenkte meneer Keur-
mans en de burgemeester.
Krinkels vader pakte meneer Puntstra bij zijn kraag
en duwde hem tegen de kademuur. 'Houd je mond,
doorgedraaide zeekomkommer!' schreeuwde hij.
Meneer Puntstra zat klem tussen de armen van
Krinkels vader en riep agent Stoppelaar om hulp.
De agent luisterde niet. 'Gestolen diamanten in
Burgerdam?' zei hij zenuwachtig.
Meneer Keurmans en de burgemeester kwamen
er aan en Krinkels vader liet meneer Puntstra los.
Krinkels vader ging voor de burgemeester staan en
maakte zich breed. 'Laten we de inspectie van meneer Keurmans tot morgenochtend uitstellen.'
Hij gaf agent Stoppelaar een schouderklopje. 'Er
zijn diamanten gestolen uit MORS en de politie
moet de tijd krijgen de diefstal op te lossen.'
De burgemeester keek Krinkels vader diep in zijn
ogen. 'Tja, lastig, meneer Von Toetbergen.'
Meneer Puntstra schraapte zijn keel. 'Afspraak is
afspraak.'

Krinkel liep op Stans vader af en kneep hem in zijn arm. 'Sorry nog van die speedboot. U bent toch rechter, dan kunt u dit toch wel rechtzetten?'

Stans vader stapte naar voren. Hij legde een hand op de schouder van de burgemeester en gaf een seintje aan zijn vrouw.

'Als ik u als rechter van Burgerdam een tip mag geven,' zei hij met een warme stem, 'dan zou ik meneer Keurmans morgen pas naar MORS laten komen.'

Stans moeder kwam aandraven met een microfoon en de camera's van BTV zoomden op haar in.

'Dames en heren,' zei Stans moeder. 'Net voor de opening van MORS is er iets ergs gebeurd: er zijn diamanten gestolen. De dader is nog onbekend. Gelukkig was onze burgemeester mevrouw Winde-waai meteen ter plaatse. U kunt nu van haar horen welk wijs besluit zij heeft genomen.' Stans moeder schoof de microfoon onder de neus van de burge-meester.

De burgemeester tuitte haar lippen en sprak: 'Lieve Burgerdammers, ik heb besloten dat meneer Keurmans pas morgenochtend om negen uur naar MORS komt om te beslissen of de opening kan doorgaan.'

Sommige mensen begonnen samen met meneer Puntstra en de inspecteur 'boe!' te roepen. Maar de meeste mensen gaven de burgemeester een applaus. Krinkel keek naar het stralende gezicht van Stan, maar ze lachte niet.

'Je wilt naar Kaka,' zei Stan.

'Ik hoop dat we nog op tijd komen,' zei Krinkel.

'Die speedboot mogen we vast niet meer lenen, dus dan moeten we toch maar de roeiboot vragen aan Berend.' Krinkel en Stan keken elkaar aan.

'Berend!' zei Stan. 'Hij zou naar MORS komen, maar ik heb hem helemaal niet gezien.'

'Wat doen we, de roeiboot of toch de speedboot vragen aan je vader?'

Ineens klonk er geflapper en geklapper over de Burgergracht. 'Ik geloof dat het niet meer nodig is,' zei Stan. Hij stootte Krinkel aan en wees naar de lucht. Daar kwamen Kaka en Kokkie aanvliegen. In hun snavels hielden ze een mandje geklemd waaruit de drie kopjes van de meeuwtjes staken.

# 20. **Waar is Berend?**

Krinkel zat met haar familie en Stan aan de keukentafel in Den Engel. Ze aaide een meeuwtje over zijn kopje. 'Sorry, het had hier feest moeten zijn.' Ze keek naar haar vader die voor het raam stond en naar buiten staarde. Haar moeder gaf hem een kus. 'Het komt goed, Toets,' fluisterde ze zachtjes in zijn oor.

Kokkie wreef haar vleugel over Kaka's buik. Er was geen wond op te zien.

Tante Tamara gluurde in haar bol.

'Zie je al wat glimmen, tante?' vroeg Krinkel.

Urenlang hadden ze in en rond MORS naar de eekhoorns gezocht, maar ze hadden niets gevonden. En Berend was ook spoorloos. Krinkel had hem gezocht onder zijn brug, maar hij was er niet. Buiten had agent Stoppelaar met een rood-wit lint MORS afgezet.

'Stilte, ik krijg beeld,' zei tante Tamara. Ze legde haar handen op de bol. 'Ik zie iets paars glimmen.'

'De diamanten zijn toch niet paars?' zei Krinkels vader.

'Ssst,' siste Krinkel. 'Wat ziet u nog meer, tante?'

'Ik zie een lap glimmende paarse stof.'

Krinkels vader sloeg zijn vuist op tafel en sprong overeind. 'Daar hebben we helemaal niks aan!'

Krinkel duwde haar vader terug op zijn stoel.

Glimmende paarse stof? Die verklede man met zijn paarse sjaalhoofd die vanochtend in MORS was, dat was de dief! Hij had vast door het raampje gegluurd toen zij het sleuteltje verstopte.

'De paarse stof hangt ergens overheen,' zei tante Tamara. 'Het lijkt, het is … een roeiboot.'

Krinkel had tante Tamara nog nooit zo strak naar haar bol zien kijken. Ze draaide met haar ogen en trilde.

'De diamanten, ik zie ze bijna,' zei ze. 'Nee, het is te donker, ze zijn op een donkere plek.'

Krinkels vader liet zijn hoofd in zijn handen zakken. 'Eén dag van tevoren en alles is verpest door een dief. Oom Dilovardus had gelijk, Burgerdam is vreselijk!'

'Ik zie nog iets glimmen,' zei tante Tamara. 'Een glimmende gouden ring met een hartje.'

'Berend!' riepen Krinkel en Stan tegelijkertijd.

Het-zal-toch-niet-waar-zijn, bonkte het door Krinkels hoofd, op de maat van haar voetstappen. Ze dacht aan de vreemde dingen die er waren gebeurd. Het paarse sjaalhoofd, de liegende vogelwachter, Berend die niet was komen opdagen, de paarse sjaal die tante Tamara in een roeiboot zag liggen, een gouden hartje.

Toen ze bij de brug van Berend waren aangekomen, stormden ze de trap af.

'Daar ligt Berends roeiboot!' hijgde Stan.

Ze renden op de roeiboot af en klommen erin.

Daar lag hij, de paarse glimsjaal. Er was een stuk af

gescheurd, maar het was de sjaal die ze vanochtend had gezien.

'Ik ben bang dat Berend niet zo'n goede vriend is als we dachten,' zei Krinkel. Ze vertelde Stan over de verklede man met de paarse sjaal die in MORS was geweest.

'Berend is toch een goed mens?' zei Stan verbaasd. 'Dat geloofde ik ook,' zuchtte ze. 'Maar nu geloof ik dat ik niet zo snel meer iets moet geloven.'

'Die sjaal lag er toch nog niet toen jij vanmiddag hier Berend kwam zoeken?' vroeg Stan.

'Hij wist natuurlijk dat we hem hier zouden komen zoeken,' zei Krinkel.

Stan wees op de sjaal. 'Er zit iets onder!' Hij tilde de sjaal op. 'Nee!' riep hij.

Krinkel keek van Stan naar de sjaal. Toen zag ze het ook: daar lagen de vier eekhoorns, zonder oogjes.

'Berend is er echt met de diamanten vandoor,' zei Stan. 'Mijn vader heeft als rechter heel wat boeven gezien. Hij zegt dat de ergste boeven mensen zijn die juist heel gewoon en aardig lijken.'

'Hoe kan Berend zo gemeen doen!' zei Krinkel.

'Moet je dit zien,' zei Stan en hij pakte iets van de bodem van de roeiboot. 'Dat is die zonnebril.'

'De bril van de nepvogelwachter, dezelfde die de man met de paarse sjaal droeg. Berend heeft twee keer geprobeerd de diamanten te stelen. Eerst als zogenaamde vader en toen als vogelwachter.' Ze brak de bril in twee stukken. 'Wat gemeen om mij te laten denken dat Kaka op sterven lag,' snikte ze.

'Waar zullen de diamanten nu zijn?' vroeg Stan. 'Je

tante zag alleen maar een donkere plek.'

'Hoe moet ik dat nou weten?' zei Krinkel.

'Vast ergens in een kluis van een of andere dure hotelkamer,' dacht Stan hardop. 'Misschien heeft hij dat verhaal van die gouden hartjesring en zijn vader ook wel verzonnen.'

Krinkel keek hem geschrokken aan. 'Dat zou afschuwelijk zijn!'

Stan keek naar de holle ogen van de eekhoorns. 'Ik zou alle eekhoorns opeten als het niet zou lukken met MORS,' zei hij. 'Dat wordt een taaie hap.' Hij wikkelde de beesten in de sjaal en slingerde het pakketje op zijn rug. Langzaam liepen ze terug naar Den Engel. Onderweg rende Krinkels vader hen tegemoet. 'Hebben jullie iets ontdekt?' vroeg hij hoopvol.

'Het allerergste wat je maar kunt bedenken,' antwoordde Krinkel.

# 21. De allerlaatste kans

Even later zat Krinkel met haar vader en moeder en tante Tamara aan tafel. Ze prikten keurig stukjes bananenpannenkoek aan zilveren vorken, de vorken van de veiling. 'Dat hebben we tenminste geleerd in Burgerdam,' gniffelde Krinkel. 'Eten met bestek.' Haar vader gaf haar een aai over haar krullen. 'Ik ben blij dat jij nog ergens om kunt lachen.'
Tante Tamara at niet, maar staarde in haar glazen bol. 'Stromend water, fris stromend water,' zei ze langzaam.
'Dat is vast Berend die ergens op een enorm duur schip over de oceaan vaart,' zei Krinkel.

De volgende ochtend om precies negen uur stapten meneer Puntstra, meneer Keurmans en burgemeester Windewaai de loopplank van MORS op. Meneer Puntstra had zijn vrouw meegenomen. Krinkel en Stan waren bezig de eekhoorns te borstelen. Om ze er nog een beetje mooi uit te laten zien, hadden ze zilverpapier in de holle oogjes gestopt.
Door het raam van de deur zag Krinkel hoe druk het was op de kade. Agent Stoppelaar liep tussen de mensen door. 'Stilte, stilte!' riep hij.
'MORS moet open!' schreeuwde een groepje mensen. Een ander groepje riep erdoorheen: 'MORS moet weg!'

'Eindelijk is het moment gekomen,' zei meneer Puntstra toen hij MORS binnenstapte. 'Het moment om vast te stellen dat Burgerdam een keurige stad is die een keurig bejaardentehuis nodig heeft.' Hij gaf zijn vrouw een arm. 'Met ons als eerste bewoners.'

Krinkels vader ging voor hem staan. 'Rustig, half-zacht ei. Jij bent de inspecteur niet, of wel?'

De inspecteur sprong voor meneer Puntstra. 'Dat ben ik!'

'Waar blijft de burgemeester?' vroeg mevrouw Puntstra.

'Ik denk dat ik wel weet waar ze is,' zei Krinkel en ze liep naar het uilenbos.

'Ik zit hier!' Mevrouw Windewaai zat op het nest onder de boom. 'Wat een énige uiltjes. Moet u zien inspecteur, dat uiltje met dat flesje!'

De burgemeester liet zich door de inspecteur uit het nest hijsen en trok haar rok recht. 'Ik kom al!'

Meneer Puntstra bladerde in zijn papieren en schraapte zijn keel. 'Eens kijken, waar waren we gebleven? Juist. Vandaag is het precies zes maanden na Dilovardus' dood.'

Hij keek Krinkel en haar vader recht aan. 'Dan is dus nu de vraag of er hier tien miljoen is om de Bella Lisa te kunnen kopen.' Hij keek op zijn horloge. 'We nemen twintig minuten om te kijken of deze verzameling tien miljoen waard is. En daarna beslist burgemeester Windewaai of MORS mag blijven.'

Meneer Keurmans, meneer Puntstra en de burge-

meester namen elk een andere hoek van het museum. Meneer Puntstra liep naar Krinkel, die bij de eekhoorns stond. Hij prikte met zijn vinger in de oogjes van zilverpapier. 'Leuk geprobeerd, maar hier trap ik niet in.' Hij boog vooover naar Krinkel. 'Pak je koffers, het oerwoud wacht op je.'
Krinkel wilde meneer Puntstra net gaan uitschelden voor alle dieren uit het oerwoud die ze kende, toen Stan haar meetrok. Hij wees naar een raampje waar Kaka met zijn snavel tegenaan tikte. 'Hij heeft iets in zijn poten!'
Krinkel en Stan slopen het schip uit.
Krinkel pakte Kaka's pootjes vast en haalde er iets glimmends uit. Ze hield het voor Stans ogen.
'De hartjesring, de ring van Berend!' riep Stan.
Kaka begon ongeduldig te fladderen.
'Je wilt ons ergens naartoe brengen,' zei Krinkel. 'Vlieg maar, we volgen je.'
Toen ze vijf minuten over de Burgergracht hadden gerend, bleef Kaka boven een huis cirkelen.
'Dit is het huis van meneer Puntstra!' riep Stan.
Kaka tikte met zijn snavel tegen een kelderruitje met een flinke kier. 'Berrrend!' kraste hij.
'Is Berend daarbinnen, Kaka?' vroeg Krinkel.
Ze drukte haar neus tegen het ruitje, maar het was te donker om iets te zien.
Stan pakte een steen en keilde hem door de ruit.
'Ik hoop niet dat ik Berend heb geraakt,' zei Stan en hij trapte het glas uit het ruitje.
Krinkel klom als eerste naar binnen. Ze hoorde een murmelend geluid. Toen haar ogen aan het donker

waren gewend, zag ze iets in een hoek liggen. Stan
kwam nu ook binnen.

Krinkel liep op het gemurmel af dat steeds harder
werd. 'Het is Berend!'

Berends mond en handen waren vastgebonden met
een reep van de paarse sjaal. Stan sneed de stof met
zijn zakmes los.

Berend begon te hoesten. 'Het is hier nog vochtiger
dan onder mijn eigen brug,' proestte hij.

'Sorry, ik dat jíj de diamanten had gestolen,' zei
Krinkel.

Berend wreef over zijn polsen en kwam moeizaam
overeind. 'Dit is het werk van Puntstra! Ik heb hem
betrapt in MORS toen hij de eekhoorns pakte. Hij
heeft me tegen de grond geslagen. Hoe ik hier gekomen ben, weet ik niet, maar toen ik bijkwam lag
ik in deze kelder.'

Stan trok Berend mee aan zijn jas. 'Vertel straks
verder. We hebben haast. Ze zijn nu bezig met de
inspectie. Nog tien minuten. Weet je waar de diamanten zijn?'

Berend deed het licht in de kelder aan. Hij wees
naar een groot schilderij op de muur. Het was een
schilderij van Den Engel, alleen zag het er anders
uit. Niet blauw met geel, maar grijs. En op de plek
van de letters van Den Engel stond Burgerrust.

'Vergeet het maar, Theo,' zei Berend grimmig. Hij
klapte het schilderij opzij en er kwam een kastje
tevoorschijn. Berend opende het en haalde er een
fluwelen zakje uit. 'Hier zijn de diamanten!'

BURGERRUST

## 22. Fris water

Toen Krinkel en Stan het schip binnenstormden, was burgemeester Windewaai bijna klaar met haar toespraak.

Ze plukte wat hooi uit haar haren en sprak: 'Hoe énig ik het Museum voor Oude en Rare Spullen ook vind, helaas kan het museum niet ...'

Krinkel haalde het zakje met diamanten tevoorschijn. Stan hield haar tegen. 'Wacht nog even,' fluisterde hij. 'Kun je lachen.'

Krinkel keek naar haar vader en moeder, die haar verbaasd aanstaarden. Meneer Puntstra lette alleen op de lippen van de burgemeester en volgde precies hoe zij de woorden uitsprak waar hij zo lang op had gewacht.

De burgemeester sprak verder: '... de inspecteur zegt dat MORS niet kan blijven, omdat er geen tien miljoen ...'

'Nu!' seinde Stan.

'We hebben de diamanten van oom Dilovardus gevonden!' riep Krinkel en ze hield het fluwelen zakje omhoog. Kaka fladderde er een rondje omheen.

Krinkel keek recht in het gezicht van meneer Puntstra. 'Dit is tegen de wet!' riep hij tegen Krinkel. 'Wáár heb jij die diamanten gestolen?'

Berend kwam tussen Krinkel en meneer Puntstra in staan. 'Jíj hebt die diamanten gestolen.' Hij duwde de paarse sjaal onder de neus van meneer Puntstra. 'Komt deze sjaal je bekend voor?'

Meneer Puntstra staarde naar de gevlekte, rafelige paarse stof. 'H-h-hoe …' stamelde hij.

Zijn vrouw begon te gillen. 'Theodoor! Mijn sjaal die je me op onze trouwdag hebt gegeven!' Vol afschuw keek ze naar de gescheurde sjaal.

Kaka vloog plagerig om meneer en mevrouw Puntstra heen.

Krinkel had het zakje met de diamanten opengemaakt en meneer Keurmans bekeek ze met zijn vergrootglas. 'Tjonge, die zijn veel meer waard dan tien miljoen,' mompelde hij.

Krinkel omhelsde haar vader. Zijn wang voelde nat. 'Hoe je het hebt gedaan, weet ik niet,' bromde hij. 'Je hebt laten zien dat je een echte Von Toetbergen bent.'

Agent Stoppelaar stormde binnen. 'Waar is de dief? Politie!' riep hij.

Krinkels vader duwde meneer Puntstra naar voren. De agent sloeg meneer Puntstra in de boeien. 'De eerste boef van mijn leven,' zei hij, en hij wreef tevreden in zijn handen.

'Wat gaat u met hem doen?' vroeg Krinkel en ze wees op meneer Puntstra. Ondertussen veegde ze met de sjaal de tranen van de wangen van mevrouw Puntstra.

Berend keek meneer Puntstra in zijn gezicht. 'Je bent nooit te vertrouwen geweest.'

Krinkel had Stans vader erbij gehaald. Hij liep een paar rondjes om meneer Puntstra en zei toen: 'Mor-

gen zien we elkaar in de rechtszaal. Ik heb al een
aardige straf in gedachten.'

Krinkel liep met haar vader naar buiten. Ze klom
op zijn schouders en riep zo hard ze kon: 'Geweldig
nieuws, lieve Burgerdammers: MORS mag blijven!'
'Fantástisch!' riep burgemeester Windewaai. Als een
filmster liep ze de loopplank af.

Stans moeder gaf Krinkel een fles water.

Krinkel keek naar het bruingroene water in de fles.
'Wat is dit voor smerigs?'

'Een fles water uit de Burgergracht om het nieuwe
MORS te dopen,' zei Stans moeder. 'Een cadeau,
voor wat jij en je familie voor Burgerdam hebben
gedaan.'

De Burgerdammers begonnen hard te klappen.
Burgemeester Windewaai kwam erbij staan en ze
keek naar het vieze water in de fles. 'Bah, is dít
water uit de Burgergracht?' Ze haalde diep adem
en riep toen tegen de Burgerdammers: 'Ik besluit
dat Burgerdam een nieuwe dam krijgt. Van het
diamantgeld kopen we een nieuwe dam met slui-
zen. Dan kan er weer fris water van buiten de stad
binnen stromen. Mijn bet-bet-bet-overgrootmoeder
kan nog wel even wachten.'

De Burgerdammers gaven haar een groot applaus.
'Dan kunnen we weer zwemmen en duiken in de
gracht!' juichte Krinkel en ze gaf de burgemeester
een zoen. Toen pakte ze de fles en riep: 'Hierbij
doop ik jou, MORS: Museum voor Oude en Rare
Spullen.' En ze gooide de fles kapot tegen de boeg
van het schip.

# 23. Vuurwerk!

Het was een paar maanden later. Krinkel en Stan zaten met natte haren op de kade met hun voeten in het frisse grachtwater, waarin ze net hadden gezwommen. De zon ging bijna onder.

'Hoelang duurt het nog voor het begint?' vroeg Krinkel.

Stan keek op zijn horloge. 'Nog een uurtje.'

Krinkel keek naar de meeuwtjes van Kaka en Kokkie die verstoppertje speelden.

'Krinkel, Stan!' Berend liep de loopplank van MORS af en bracht Krinkel en Stan een glas koude bananensiroop. 'Ik heb alles opgepoetst. Op deze dag moet alles wel mooi blinken.'

Krinkel stak haar duim omhoog. Berend was in MORS alles tegelijk: hij leidde mensen rond, maakte schoon en paste op alle spullen. Hij werkte niet alleen op het schip, hij woonde er ook. In de kajuit had Krinkels moeder een mooi huisje voor hem gemaakt.

'Daar is Theo!' riep Berend. Meneer Puntstra kwam over de kade aanlopen met een schrijfblok onder zijn arm.

'Goedenavond samen,' zei meneer Puntstra. 'Ik kom vragen wat jullie nodig hebben en wat jullie voor een ander kunnen doen.'

Meneer Puntstra ging op de kade zitten en begon

druk in zijn schrijfblok te bladeren. Stans vader had gezegd dat meneer Puntstra niet de gevangenis in hoefde. Daarom had hij een taak gekregen. Iedere week moest hij aan alle Burgerdammers iets vragen. Hij moest vragen wat ze nodig hadden en wat ze voor een ander konden doen. En pas als de mensen dat uit zichzelf deden, was zijn straf voorbij.

'Is er iemand die de scheur in mijn jurk kan repareren?' vroeg Krinkel.

Meneer Puntstra tikte met zijn pen op zijn schrijfblok. 'Deze mevrouw. Wat kun jij terugdoen?'

'Bananenjam maken, vissen vangen, een schat vinden, duikles geven, zeg het maar,' zei Krinkel.

Meneer Puntstra schreef alles driftig op.

Stan wilde kinderen wel lesgeven in stenen ketsen en zelf zocht hij iemand die zijn kamer wilde opruimen. Berend bood aan mensen te troosten en hij vroeg of iemand zijn haar kon knippen.

Meneer Puntstra stopte het schrijfblok onder zijn arm. 'Ik ga gauw verder met regelen.'

'Theo, vergeet je niet te komen vanavond? Je hebt toch niet stiekem geoefend?' vroeg Berend.

'Ik zal er zijn,' antwoordde meneer Puntstra.

'Waarmee geoefend?' vroeg Krinkel.

'Dat merk je vanzelf,' zei Berend glimlachend.


Het was donker geworden. Felle schijnwerpers stonden gericht op burgemeester Windewaai. Ze stond op een podium voor de nieuwe dam. Met haar kortgeknipte haren leek ze een stuk jonger. Aan allebei de kanten van de dam zaten Burgerdammers.

Krinkel zat tussen Stan en haar vader in. Achter
haar zaten haar moeder, tante Tamara en Berend.
Kokkie en Kaka en hun kindjes zaten keurig stil op
de rand van de stoelen.
'Het gaat beginnen!' Krinkel pakte Stans hand vast.
'Het is een eer op deze mooie zomeravond de nieu-
we Burgerdam te openen,' sprak de burgemeester.
'U heeft al gemerkt dat er weer fris water door de
Burgergracht stroomt. Om dit te vieren, hebben we
een feestelijk programma. Als eerste ster vanavond:
BTV!'
Net toen Stans moeder het podium op wilde lopen,
klonk er geronk over de Burgergracht.
'Dat geluid herken ik!' fluisterde Krinkel tegen
Stan.
Een man op een rode brommer reed het podium
op en remde vlak voor Stans moeder. Die hield van
schrik de microfoon onder zijn neus.
'Ben ik op tijd?' hijgde de man. 'Krinkel, Stan,
Berend?'
Krinkel kneep in Stans hand. 'Het is Rinus!'
'Welkom in Burgerdam, Rinus,' zei Stans moeder.
Ze wees de plek aan waar Krinkel en Stan zaten.
'Rinus!' riep Krinkel toen Rinus vlak bij haar was.
'Rrrinus!' kraste Kaka.
Rinus aaide Kaka over zijn kopje. 'Ik ben blij dat je
me hebt uitgenodigd voor vanavond.'
Berend sloeg Rinus op zijn schouder. 'Ga maar op
mijn plek zitten, ik moet toch even weg.'
'Dames en heren!' riep Stans moeder door de mi-
crofoon. 'Vandaag vieren we dat de nieuwe Burger-

dam opengaat. Maar ook dat we een nieuwe stad
hebben. Een stad waar mensen weer plezier maken
en kinderen weer kunnen spelen en zwemmen in
de gracht. En een stad waar mensen iets voor elkaar
doen, al moet meneer Puntstra daar nu nog bij
helpen.'
De mensen begonnen hard te klappen en riepen:
'Goed zo, Puntstra, goed zo, Puntstra!'
Stans moeder ging verder: 'Ik ben blij dat we de
leuke dingen van vroeger weer terug hebben in Burgerdam. Kijkt u naar deze film van BTV!'
Op het grote witte doek dat voor de dam hing,
startte een film. Krinkel herkende de plaatjes uit
oom Dilovardus' fotoboek. Maar er waren ook
foto's en filmpjes die ze nog niet had gezien. Elke
keer dat Rinus de kleine Dilovardus zag op de film,
begon hij te klappen. De mensen juichten toen ze
de beelden van vroeger zagen. Toen het laatste filmpje kwam, van Berend en meneer Puntstra die de
Burgergracht in doken, barstte iedereen in lachen
uit.
Burgemeester Windewaai nam de microfoon weer.
'Dames en heren, vanavond zijn ze voor het eerst
weer bij elkaar: Berend en Theo!'
Berend en meneer Puntstra kwamen elk aan één
kant de dam oplopen. In het midden gaven ze
elkaar een hand.
'Eén, twee, drie!' riepen de Burgerdammers. Berend
en meneer Puntstra sprongen de gracht in. Onder
luid applaus zwommen ze een rondje.
'Ik ben blij dat ik de burgemeester van deze stad

ben,' zei de burgemeester. 'Dat deze stad zo leuk is
geworden, hebben we te danken aan een bijzondere
familie. Een familie die sommige mensen liever
zagen gaan dan komen. Die door hun oude, rare en
bijzondere spullen Burgerdam nieuw leven hebben
ingeblazen. Mag ik op het podium hebben: Krinkel, haar vader en moeder en tante Tamara! En Stan
natuurlijk, de vriend van de familie.'
Krinkel liep voorop het podium op, maar eigenlijk
had ze meer zin in een goede duik van de dam.
'Helaas is de man die jullie hier heeft gebracht en
zo veel heeft gedaan voor Burgerdam er niet meer,'
zei de burgemeester. 'Daarom mogen jullie de
nieuwe Burgerdam openen en de naam van de dam
bekendmaken.' Ze knipte met haar vingers. Kaka,
Kokkie en de drie meeuwtjes trokken met hun
snavels aan een touw en het grote witte doek viel
ruisend omlaag. Op hetzelfde moment klonken er
knallen en verschenen er boven de dam letters van
vuurwerk:

DILOVARDUSDAM

Terwijl Krinkel naar de blinkende letters tegen de
donkere sterrenhemel keek, dacht ze aan oom Dilovardus. Zag ze het goed? Het leek alsof een van de
sterretjes haar een knipoog gaf.

Hoi lezer,

Elke dag komen er veel mensen naar MORS.
Zelfs de koning is geweest om zijn eigen
eerste tandjes weer eens te bekijken. De
prinsesjes vonden het heerlijk om van de
hooibalen te springen. Van de rest van het
diamantgeld heeft de burgemeester voor
alle kinderen een kano gekocht.

De drie meeuwtjes spelen graag in MORS. Dan
doen ze of ze ook opgezet zijn en laten ze
de bezoekers flink schrikken door ineens
hard te gaan schreeuwen.

Meneer Puntstra is klaar met zijn straf. Maar
elkaar helpen gaat gewoon door.
Meneer Punstra geeft mij bijles in rekenen.
Elke woensdag leer ik kinderen hoe je met
een salto van de Dilovardusdam duikt. In
ruil daarvoor bakken ze voor mij bananentaartjes.
En Stan en ik? 'Ik zie donker en blond samen,' zei tante Tamara laatst toen ze in haar
glazen bol keek. En je weet: tante Tamara
heeft altijd gelijk!

Krinkel

PS Berend is met burgemeester Windewaai op
huwelijksreis naar Schelperoog!

**Naam:** Annemarie van den Brink.

**Leeftijd:** 44 jaar.

**Ik woon in:** een gezellige straat in Utrecht. De straat is genoemd naar een dichter. De bewoners hebben ervoor gezorgd dat je op muren en op de stoep overal gedichten kunt lezen. Met mooi weer zit ik op een bankje voor mijn huis te schrijven of wat te drinken met de buren.

**Dit doe ik het liefst:** spelletjes, door Spanje reizen met mijn gezin, lezen, naar een film of toneelstuk gaan, hardlopen, door de duinen fietsen, kletsen met vrienden, dansen en ... schrijven natuurlijk.

**Ik hou helemaal niet van:** brrr ... inktvis, strijken en mensen die oneerlijk doen.

**Het leukste boek vind ik:** *Ronja de roversdochter* van Astrid Lindgren.

**Zo kwam ik op het idee om *Krinkel* te schrijven:** Via Krinkel wil ik vertellen dat het leven veel leuker is als je je niet zo druk maakt over dingen of mensen die anders zijn dan jijzelf.

**Ik wil heel graag nog een keer een verhaal schrijven over:** dieren die grappige dingen meemaken, bijvoorbeeld als ze naar de sportschool gaan.

# Meer lezen van Annemarie van den Brink?

**Camping Citroen**

Cis gaat met haar broer Nino en haar ouders op vakantie naar Spanje. Ze kamperen er op camping Citroen, de camping van haar oom en tante en neef Santi. Nino hangt de stoere jongen uit bij het zwembad. Ondertussen verkennen Cis en Santi de camping. Tijdens de bruiloft van hun oom en tante ontdekken ze een familiegeheim én een heel bijzondere plek. Lees er meer over in het vakantiedagboek van Cis ...

# In deze serie zijn verschenen:

Kristien Dieltiens
**De bende van Ji-Ja-Jo**

Rian Visser
**De vliegende cavia**

Chris Winsemius
**Jij bent nog niet jarig!**

Carla van Kollenburg
**Hoe Otto beroemd werd**

Els Rooijers
**Joep en de blauwe tijger**

Anke Kranendonk
**Ik ga weg**

Annemarie van den Brink
**Krinkel**

Ruben Prins
**Wie heeft Panter ontvoerd?**